NIKKEI BUNKO 日経文庫

コーポレート・ファイナンス入門

砂川伸幸

日本経済新聞出版社

まえがき

　毎年，講義の最初の時間に「企業活動に必要な３つの要素は何ですか？」と質問します。たいてい，「ヒト・モノ・お金」という答えが返ってきます。次に，コストについて聞きます。「ヒトに支払うコストは人件費ですね。モノ（の仕入れ）に支払うコストは原材料費ですね。では，お金に支払うコストは何ですか？」

　「お金に支払うコスト？」意地悪な質問かもしれません。「お金を調達するコスト」といえば，もう少し分かりやすいでしょう。このお金のコストが，コーポレート・ファイナンスのキーワードです。資本コストといいます。

　人件費や原材料費が払えないと，企業は活動を続けていくことができません。ヒトとモノが動かなくなります。同じように，資本コストが払えないと，お金が流れなくなり，企業活動はストップします。正常な企業は，人件費，原材料費，資本コストをきちんと支払い，ヒト・モノ・お金がスムーズに動きます。

　コーポレート・ファイナンスは，企業活動における資金の流れについて考えます。スムーズな資金の流れを作り出すためには，資本コストを上回る成果をあげることが必要です。そのためには，資本コストを理解し，意識し，企業経営に取り入れることが大切です。このことを念頭において，本書をお読みください。

　この本は，タイトルの通り，コーポレート・ファイナンスの入門書です。コーポレート・ファイナンスを学ぼ

うとする人，あるいは学ぶ必要のある人が，1冊目に読む本です。すでにコーポレート・ファイナンスを勉強したことがある人は，短い時間でエッセンスと全体像を思い出すために利用してください。

　本の構成は，次のようになっています。I章では，みなさんをコーポレート・ファイナンスの世界に招待します。なぜコーポレート・ファイナンスを学ぶのか，コーポレート・ファイナンスで何を学ぶのか，について書いてあります。II章では，コーポレート・ファイナンスのキーワードである資本コストについて学びます。資本コストについては，リスクとリターンの関係を含めて，かなり詳しく解説しました。III章では，コーポレート・ファイナンスのもう1つのキーワードである現在価値について学びます。

　資本コストと現在価値という2つのキーを手に入れると，あとは扉を開けていくだけです。IV章では，企業の投資行動という扉を開けます。ここで，コーポレート・ファイナンスが勧める投資決定基準であるNPV法と出会います。最新のアプローチであるリアル・オプションも顔を出します。V章では，企業の資金調達という扉を開けます。待ち受けるのは，ノーベル経済学賞をとったMM（モジリアーニ＝ミラー）の無関連命題という考え方です。その後，現実的な資金調達行動について，レクチャーを受けてください。VI章は，企業の利益還元と配当政策の部屋です。理論の小部屋と現実の小部屋を回ってください。

　最後に，次のステップに進む方のために，ブックガイドを用意しました。ご参照ください。

まえがき

　この本を書きあげるにあたり，たくさんの方からご支援をいただきました。とくに，私のゼミに所属する学生のみなさんは，原稿を読み，いろいろなアドバイスをくださいました。ありがとうございます。日本経済新聞社出版局の堀口祐介さんと平井修一さんにも，大変お世話になりました。

　学生の方に原稿を読んでもらったところ，「3日で読めました」という声がありました。何が分かりましたかと聞くと，「資本コストが大切だということです」と返ってきました。コーポレート・ファイナンスは，そこから始まります。

2004年8月

砂川　伸幸

コーポレート・ファイナンス入門――［目次］

[Ⅰ]コーポレート・ファイナンスへの招待――13

1 ―コーポレート・ファイナンスとは――14
  (1) コーポレート・ファイナンスと登場人物―14
  (2) 資金の流れとコーポレート・ファイナンスのテーマ―16

2 ―コーポレート・ファイナンスの視点――18
  (1) 株主の立場から考える―18
  (2) 経営資源を効率的に利用する企業経営―19
  (3) 株主まで満足すればみんな満足―19
  (4) 株主は企業の経営者を選出する―20

3 ―なぜコーポレート・ファイナンスを学ぶのか――21
  (1) 銀行借入れからマーケットでの資金調達へ―21
  (2) マーケットとうまくつき合うために―22
  (3) 産業発展の視点―23
  (4) コーポレート・ガバナンスの視点―25
  (5) 株式持ち合いと持ち合い解消―26
  (6) 従業員の視点―27
  (7) 投資家と学生の視点―28

4 ―資本コストと資金の流れ――29
  (1) 資本コストとは何か―29
  (2) 資本コストを稼げるビジネスは資金調達ができる―32
  (3) 負債調達と株式調達を組み合わせる―34

目　次

　(4) 資本コストを稼げないビジネスは資金調達ができない―36
　(5) 株主が損も得もしないビジネス―37
　(6) 資本コストに関する２つのレッスン―38
　(7) 資本コストと企業経営―40

[Ⅱ] 基礎① リスク・リターン関係と資本コスト―43

1 ― リスクとリターン――44
　(1) 収益率―44
　(2) 期待収益率とリターン―44
　(3) リスク―46
　(4) リスク・プレミアム―47
　(5) リスク・プレミアムと期待収益率―49
　(6) ハイリスク・ハイリターンの原則―49

2 ― 企業の資本コスト――51
　(1) 企業のリスクとリターン―51
　(2) 債権者と株主のリスクとリターン―52
　(3) リスクを負担する株主―54
　(4) 負債の資本コストと株式の資本コスト―55
　(5) 企業の資本構成―56
　(6) 総資本コストの公式―57
　(7) 資本コストとマーケットの情報―58

3 ― 資本コストを求める――58
　(1) 資本コストの推計の事例―58
　(2) マーケット・ポートフォリオ―60
　(3) 株式のベータ―61
　(4) リスク尺度としてのベータ―63
　(5) ＣＡＰＭ―63

(6) 証券市場線—67
　　(7) 株式の資本コストを推計する—68
　　(8) 総資本コストを推計する—69
　　(9) 資本コストのまとめ—70
　　(10) 資本コストを求める練習—71

[Ⅲ] 基礎② 現在価値とキャッシュフロー ——— 73

1 — コーポレート・ファイナンスと現在価値 —— 74
2 — リスクがないキャッシュフローの現在価値 —— 75
　　(1) 1年後のキャッシュフローの現在価値—75
　　(2) ＤＣＦ法と割引率—76
　　(3) 金利と現在価値の関係—76
　　(4) 2年後のキャッシュフローの現在価値—77
3 — リスクがあるキャッシュフローの現在価値 —— 78
　　(1) リスクがあるキャッシュフローを割り引く—78
　　(2) 資本コストと現在価値—79
　　(3) 資本コストと割引率と期待収益率—80
　　(4) リスクがあるビジネスの評価—81
4 — 企業価値とキャッシュフロー —— 82
　　(1) コーポレート・ファイナンスとキャッシュフロー—82
　　(2) 企業価値—82
　　(3) 資本コストとＲＯＡ，ＲＯＥ—84

[Ⅳ] 企業の投資行動はどう決まるか ——— 87

1 — コーポレート・ファイナンスと企業の投資決定
　　—— 88
2 — 投資の価値はＮＰＶ —— 89
　　(1) ＮＰＶとは何か—89

目　次

　　(2) 投資決定とDCF法―91
3―プロジェクトを行うかどうか決定する――92
　　(1) プロジェクトX―92
　　(2) NPV法―94
　　(3) プロジェクトXの資本コストを推計する―94
　　(4) プロジェクトXのNPVを求める―95
　　(5) 資本コストの上昇とNPVの低下―96
　　(6) 会計利益とNPV―96
　　(7) 資本コストとNPV―97
　　(8) NPVプロファイル―97
　　(9) NPV法と適正な資本コスト―99
　　(10) 内部収益率（IRR）―100
　　(11) EVAとNPVの関係―101
　　(12) NPVと株主価値―102
4―プロジェクトに順位をつける――104
　　(1) NPVとIRRによる順位づけ―104
　　(2) 2年間のプロジェクトのNPV―106
　　(3) NPVと回収期間による順位づけ―106
5―リアル・オプション――108
　　(1) リアル・オプションとは何か―108
　　(2) プロジェクトY―110
　　(3) プロジェクトYのNPVを求める―111
　　(4) リアル・オプションを取り入れる―112
　　(5) リアル・オプションの価値―113
　　(6) リアル・オプションと投資決定―114
　　(7) どんなケースで有効か―115

[V] 企業の資金調達 ——————————119

1 — 企業の資金調達と投資行動 —— 120
(1) マイナスのNPVをもつプロジェクトと株主価値—120
(2) NPVと株主価値の推移—121
(3) 投資決定と資金調達—123
(4) 資金調達の方法と投資決定—124

2 — 資本構成と企業価値 —— 125
(1) 資産内容と資本構成と企業価値—125
(2) MMの無関連命題—126
(3) レバレッジと株式のリスク—128
(4) ファイナンシャル・リスク—129
(5) レバレッジと株式のリターン—130
(6) レバレッジと資本コスト—130
(7) 負債がない企業の企業ベータと株式ベータ—131
(8) 負債がある企業の企業ベータと株式ベータ—132

3 — 法人税とデフォルト・コスト —— 133
(1) 法人税の効果—134
(2) デフォルト・コストの影響—135
(3) 最適な資本構成—136
(4) デフォルト・コストと企業の資本構成—137

4 — 資金調達の方法 —— 139
(1) 企業の資金調達方法—139
(2) 資本構成の調整—140

[VI] 企業の利益還元と配当政策 ——————143

1 — 配当と株主価値 —— 144
(1) 現金配当について—144

(2) 配当を受け取る権利—145
　　(3) 現金配当と株主価値—146
　　(4) 配当政策と投資決定—147
　　(5) 配当政策と資金調達—148
　　(6) 配当無関連命題—149
　2—現実的な諸要因と配当政策——150
　　(1) 取引コストと配当政策—150
　　(2) 税金と機関投資家の影響—151
　　(3) 配当シグナル仮説—152
　3—自社株買いと株主価値——153
　　(1) 自社株買いとは何か—153
　　(2) 自社株買いと株主価値—153
　　(3) 税金と自社株シグナル仮説—155
　　(4) 経営者不信と配当政策—156
　4—配当政策の動向——157
　　(1) これまでの配当政策—157
　　(2) 最近の配当政策—158
　5—まとめ——159

ブックガイド——161

　　[Coffee Break]
　　機関投資家の議決権行使—30
　　ファイナンスとコーポレート・ファイナンスと
　　　　ノーベル賞—64
　　ブランドの評価と不良債権の査定—84
　　わが国企業の投資決定基準について—108
　　借金すると株価が上がる？—138

[I] コーポレート・ファイナンスへの招待

- コーポレート・ファイナンスは,「資金の流れ」を通じて,株主の立場から企業活動について考えます。
- 株主重視の企業経営が求められています。株主を重視する企業経営とは,資本コストを意識して,経営資源を効率的に利用することです。
- 株主を重視する企業は,取引先,従業員,投資家,そして企業への就職を考えている人にとっても好ましいといえます。
- 資本コストは,企業が資金提供者に支払うコストです。資金提供者が企業に期待する収益率ともいえます。資本コストは,コーポレート・ファイナンスのキーワードです。資本コストを上回る成果が期待できるビジネスは,スムーズな資金調達ができます。

1 コーポレート・ファイナンスとは

(1) コーポレート・ファイナンスと登場人物

図1-1を見てください。企業は資金を調達し,人材を雇い,設備や原材料を購入し,生産活動を行います。企業は,人材に対して人件費,設備や原材料に対して原材料費などを支払います。もちろん,資金提供者にも費用が支払われます。この費用を**資本コスト**といいます。企業が生産活動によって生み出した商品やサービスは,販売され,企業の収益(売上)になります。

企業は,生産活動をするために,大きく分けて3つのマーケットとつき合っています。ヒトのマーケット,モノのマーケット,そしてお金のマーケットです。企業活動を順調に続けていくには,すべてのマーケットとうまくつき合う必要があります。この本がとりあげるのは,企業とお金のマーケットの関係です。

お金のマーケットを単にマーケットとよびましょう。コーポレート・ファイナンスは,企業とマーケットの**資金の流れ**について考えます。同時に,**資金の流れ**を通じて企業活動全体をみていきます。コーポレートは企業,ファイナンスは金融や財務と訳されます。

この本の主な登場人物を紹介しておきましょう。まず企業です。コーポレート・ファイナンスに関係が深いのは,お金を扱う財務部や経理部でしょう。最近,CFO (Chief Financial Officer) という言葉をよく耳にします。最高財務責任者と訳されることが多いようです。コーポレート・ファイナンスが関係する意思決定部門の最高責

図1-1 企業とヒト・モノ・お金

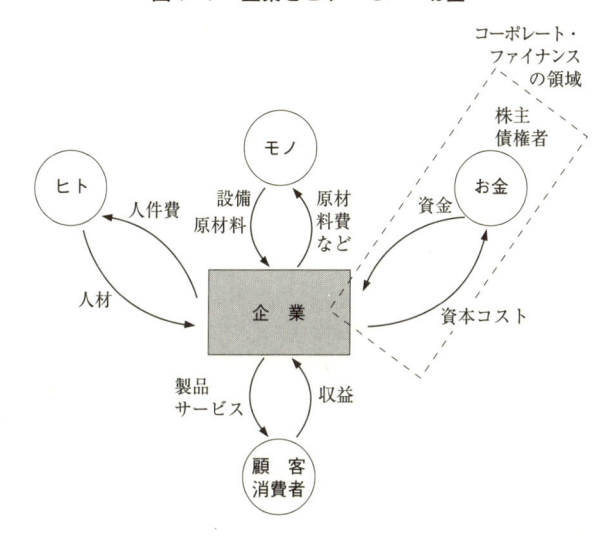

任者です。大規模な資金調達や設備投資，そして利益還元の決定には，CFO以外の役員もかかわります。

次に，投資家です。企業の資金調達に応じる人を投資家とよびます。企業の資金調達は，大きく負債調達と株式調達に分けられます。負債調達の例は，銀行からの借入れや社債発行による資金調達です。負債調達に応じた投資家は債権者とよばれます。企業は債権者に元本と利息を支払う義務があります。株式調達は，企業が株式を発行して資金調達する方法です。企業の株式を保有する人は株主です。

企業は株式や社債を発行して，マーケットから資金を調達します。マーケットは投資家の集まりです。マーケットでは，企業の株式や社債が取引されます。株式や社

債が評価される場でもあります。

資金調達によって資金が流れ始めました。コーポレート・ファイナンスの幕開けです。

(2) **資金の流れとコーポレート・ファイナンスのテーマ**

投資家は,現在手元にある資金で企業の**資金調達**に応じます。企業は,投資家から調達した資金を用いて,商品を作ったりサービスを提供したりします。一定の期間を経た後,生産・販売活動の成果が収益(売上)として表れます。企業は収益の中から,負債の元本や利息を支払ったり,株主に利益還元したりします。現時点で資金を提供した投資家は,企業が生産・販売活動を行って収益をあげた将来において,投資資金を回収できるのです。企業活動が好調で収益も高ければ,投資家の回収額も大きくなります。企業活動が低迷し収益が低ければ,投資家が回収できる金額も小さくなります。

投資家は,やみくもに企業の資金調達に応じるわけではありません。今後の企業活動とその成果を予想して,大切な資金を投資するに値する企業を選別します。自分が投資した資金を有効に利用して,高い収益をあげる企業が,投資に値する企業です。そのような企業は,容易に資金調達ができ,資金がスムーズに流れます。

コーポレート・ファイナンスでは,企業が資金調達をした後,生産・販売活動によって収益をあげるまでのプロセスを企業の**投資行動**といいます。投資家の大切な資金を有効に利用し,投資家に報いるためには,どのような投資行動をするのがよいでしょうか。このテーマを企

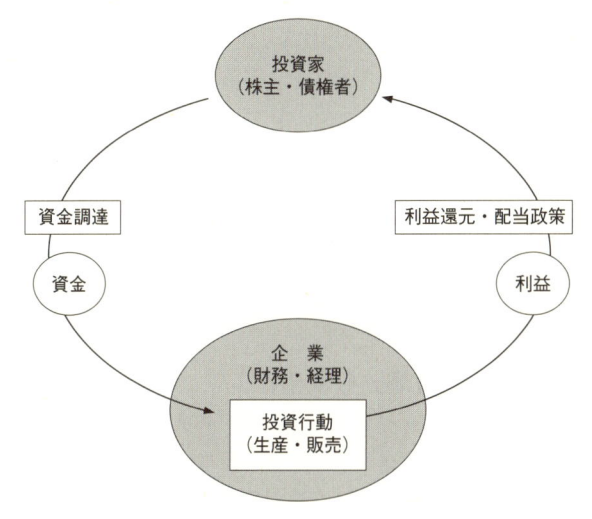

図1-2 資金の流れとコーポレート・ファイナンスのテーマ

```
           投資家
        (株主・債権者)

  資金調達              利益還元・配当政策
    資金                    利益

           企　業
        (財務・経理)
         投資行動
        (生産・販売)
```

業の**投資決定問題**とよびます。

　企業は，生産・販売活動によって得た収益から，人件費や原材料費などを支払います。次いで債権者に利息や元本を支払い，さらに法人税を支払います。最後に残るお金を残余利益といいます。残余利益は，配当金として株主に利益還元できるお金です。企業は，残余利益のすべてを株主に配当する必要はありません。一部を内部に留保して，来期の企業活動に充てることもできます。残余利益をどのような比率で配当と内部留保に分けるかというテーマは，**配当政策**の問題とよばれます。

　資金調達行動によって投資家から企業に流れた資金は，企業の投資行動を経て，投資家に還元されます。投資家の手元に戻った資金は，再び企業に流れていきます。

コーポレート・ファイナンスは，企業活動における資金の流れについて考えます。資金の流れは，"資金調達→投資行動→利益還元・配当政策" が1つのサイクルになっています。このサイクルは，企業活動のほとんどを網羅しています。コーポレート・ファイナンスでは，資金の流れを通じて，企業活動全体を見渡します。図1-2は，資金の流れとコーポレート・ファイナンスのテーマを描いたものです。

2　コーポレート・ファイナンスの視点

(1) 株主の立場から考える

　現代のコーポレート・ファイナンスは，株主の立場から，企業の資金調達，投資行動，配当政策について考えます。新聞や経済誌などで**株主重視の企業経営**という言葉をしばしば目にします。コーポレート・ファイナンスは，株主重視の企業経営について教えてくれます。

　株主重視というと，従業員や取引先，顧客を軽視するかのように思われるかもしれませんが，そんなことはありません。従業員や取引先，顧客を大切にしない企業は，そのツケが将来にまわってきます。マーケットは，将来の企業活動を予想して株式を評価します。一時的に利益が上がっても，将来が悲観的な企業の株価は下落します。

　コーポレート・ファイナンスでいう株主重視の企業経営とは，経営資源を最も効率的に利用する経営という意味です。このことについて説明しましょう。

(2) 経営資源を効率的に利用する企業経営

企業の収益は、関係者に順次配分されていきます。配分の順序が最も低いのは株主です。株主に配分される利益は、収益（売上）から、原材料費、人件費、負債の元利、そして法人税を引いた残りです。図1-3は、企業活動における主な費用項目と支払い先を並べたものです。

図1-3　企業活動における主な費用と支払い先

```
収益（売上）
  原材料費 ──────────────→ 取引先
  人件費 ────────────────→ 従業員
  利息・元本 ──────────────→ 債権者
  法人税 ────────────────→ 政府
  残余利益 ──────────────→ 株主
```

取引先、従業員、債権者、政府に対して支払うべきものを支払った後、ようやく株主の順番になります。支払うべきものを支払わないと、企業活動はストップします。株主に配分できるのは残余利益です。同じ経営資源を用いて多くの残余利益をあげる企業は、経営資源を効率的に利用している企業といえます。株主に対して多くの利益配分が可能な企業、すなわち株主を重視している企業は、経営資源を効率的に利用している企業です。

(3) 株主まで満足すればみんな満足

図1-3が示すように、株主は企業の利害関係者の中で、収益の配分を受ける順序が最後になります。企業の

売上をケーキと考えましょう。取引先,従業員,債権者,政府,株主という順序で食べていきます。株主の順番になったとき,ケーキが残っていなければ,株主が満足しないだけではありません。その前の誰かがケーキを食べそこなった可能性があります。株主の順番になったとき,ケーキが残っていれば,株主以外の利害関係者は満たされています。株主がおなかいっぱい食べることができれば,全員が満足しているといえます。

　株主が満足する利益還元を実現できる企業は,取引先や従業員,債権者に対する支払いをきちんと行っています。ヒト,モノ,お金の3つのマーケットとうまくつき合っているといえるでしょう。みんなの利益を考えるならば,株主を満足させることを考えなさい。コーポレート・ファイナンスは,このように教えてくれます。

(4) 株主は企業の経営者を選出する

　株主の立場から企業経営を考えるもう一つの大きな理由は,株主が取締役会のメンバーを選出できるということです。取締役会は,企業経営の意思決定機関です。経営陣,あるいは経営者といってもよいでしょう。代表取締役である社長は,取締役会で任命されます。株主は,自分たちの利益を損なう人を経営者に選ぶことはありません。

　1980年代まで,わが国企業の経営者は,企業の内部者から昇格することがほとんどでした。企業内部からの昇格者は,企業の組織や取引先,あるいは企業のもつ技術などを熟知しているため,企業経営のかじ取り役に適しています。半面,企業の内部に目を奪われがちで,株

主重視という視点が欠如しているかもしれません。そのためでしょうか，1990年代以降，企業の外部から企業経営に関与する社外取締役が増えています。社外取締役には，株主の視点から企業経営の役割を担うことが期待されています。

3 なぜコーポレート・ファイナンスを学ぶのか

現代のコーポレート・ファイナンスは，株主重視の企業経営について教えてくれます。このセクションでは，コーポレート・ファイナンスを学ぶ意義について考えてみましょう。

(1) 銀行借入れからマーケットでの資金調達へ

戦後，わが国企業の資金調達において中心的な役割を果たしてきたのは，銀行からの借入れです。現在でも，銀行借入れが主要な資金調達手段であることは，変わりありません。しかしながら，企業の資金調達に占める銀行借入れの比率が低下しつつあることも事実です。

企業が銀行借入れから脱却しつつある一因は，銀行を取り巻く環境の変化にあると思われます。1980年代後半から1990年代にかけて，わが国の銀行は，様々な規制（例えばBIS規制）や不良債権問題に直面し，貸出残高を縮小せざるを得なくなりました。そのため，銀行は以前ほど企業の資金ニーズに応えることができなくなったのです。銀行借入れに依存していた企業は，新たな資金調達のルートを確保する必要が出てきました。銀

行借入れに代わる資金調達の手段として，株式調達や社債調達などマーケットからの資金調達が注目を浴び始めたのが1980年代以降です。

いくつかの大手銀行が倒産したことも，企業がマーケットからの資金調達に軸足を移している原因です。取引銀行が倒産すると，銀行のみに頼ってきた企業の資金調達は困難になります。銀行の倒産が珍しいことではなくなった現在，予期せぬ事態に備えて，企業がマーケットからの資金調達に関心をよせ始めたのは当然といえます。取引銀行が倒産したときでも，マーケットは開かれており，企業がきちんと利益還元する姿勢を示すならば，資金調達のニーズに応えてくれます。

銀行からの借入れは，投資家（預金者）のお金が銀行を介して間接的に企業に流れます。これを間接金融といいます。マーケットからの資金調達では，投資家が企業の発行する株式や社債を直接購入します。これを直接金融といいます。間接金融から直接金融への移行は，すでに始まっています。この流れは今後より加速していくことでしょう。

(2) マーケットとうまくつき合うために

資金調達が銀行借入れに大きく依存している場合，銀行からの借入れをスムーズに行うことが企業経営の1つの方針になります。融資を受けるのに必要な担保となる土地を保有することや，安全な事業展開を心がけることなどが考えられます。株主への利益還元を重視しなくても，企業活動に支障をきたすことはないかもしれません。マーケットからの資金調達の割合が大きくなってくる

と，企業の経営姿勢はマーケット，とくに株主を重視したものになってきます。企業の収益に貢献しないような土地を保有することは，それが担保価値をもっていても，株主にとって好ましくありません。マーケットからの資金調達をスムーズに行うため，企業は株主への利益還元策をきちんと示す必要があります。株主を軽視した企業経営を行い，マーケットでの信頼を損なうと，資金調達が困難になります。資金調達ができなければ企業活動に大きな支障をきたすことは，いうまでもありません。

　企業の資金調達におけるマーケットの役割が大きくなっています。いま，株主の視点から企業経営を考えるコーポレート・ファイナンスを学ぶことは，時代の要請といっても過言ではないでしょう。企業は，何度もマーケットからの資金調達を繰り返します。企業は，長期間にわたり，マーケットとうまくつき合っていかなくてはなりません。株主が何を求めているかを知らずに，マーケットとつき合うことはできません。株主が求めるもの，それは株主を重視する企業経営です。

(3) 産業発展の視点

　ここ数年，株式市場を通じて最も多くの資金を調達しているのはベンチャー企業です。ベンチャー企業は，事業がある程度軌道に乗ると，マーケットを通じて資金を調達し，事業を拡大していきます。ベンチャー企業が，株式を一般投資家に発行して資金調達することを新規公開（Initial Public Offering：ＩＰＯ）といいます。現在，わが国には，ジャスダック，マザーズ，ヘラクレスなどベンチャー企業の新規公開を支援するマーケットが整備

されています。

　ベンチャー企業の多くは，将来有望と思われる事業を展開しています。将来というからにはリスクもあります。事業が失敗する可能性もゼロではありません。リスクをともなう事業に投資する資金は，株式市場から調達するのが適しています。株式市場はリスク・マネーを提供する場といわれます。株主には，債権者より大きなリスクを負担する覚悟があります。もちろん，リスクを負担する株主は，それに見合う高いリターンを要求します。リスクに見合うリターンが期待できなければ，株主は資金を提供しません。リスクを負担するとは，リスクがあることを承知して，高いリターンが期待できる企業の資金調達に応じることです。

　リスクを承知して資金調達に応じる株主は，事業の失敗に対して債権者ほど厳しくありません。事業が失敗して負債の元利が返済できなければ，企業は倒産します。一方，株主への配当が支払われなくても企業は倒産しません。将来性がある有望なビジネスには，リスクがつきものです。株式市場から資金調達することで，経営者は倒産という最悪の事態を心配することなく，有望なビジネスに果敢にチャレンジできます。

　新規事業の育成が産業の発展に必要なことは，大方の意見が一致するところでしょう。今後わが国の産業が発展していくには，ベンチャー企業が株式市場からスムーズに資金調達できることが条件になります。そのためには，リスク・マネーを提供してくれる株主の期待を理解することが大切です。株主の期待はリスクに対するリターンです。コーポレート・ファイナンスは，リスクとリ

ターンの関係に基づき，株主が期待するリターンについて教えてくれます。

(4) コーポレート・ガバナンスの視点

コーポレート・ガバナンスは，企業経営をよりよくするため，株主の声を企業活動に反映しようとする試みです。以前は，銀行が企業に資金を融資すると同時に，株主として企業経営をモニターしていました。いわゆるメインバンク・システムです。メインバンク・システムは，わが国の高度経済成長に大きな貢献をしたといわれています。

企業の資金調達の変化にともない，企業経営をモニターする役割も，銀行以外の大株主である年金基金や投資信託などの機関投資家へと移行してきました。メインバンク・システムがうまく機能し，企業業績も好調だった時期，機関投資家が企業経営に注文することはほとんどありませんでした。彼らはモノ言わない株主だったのです。しかし，企業業績の低迷が続いた1990年代から，モノ言わない株主がモノ言う株主へと変わってきました。

企業の業績が低迷しだすと，株主には2つの選択肢があります。投資資金を引き揚げる選択肢と，株主として企業にアドバイスを行い，企業業績の向上に協力する選択肢です。コーポレート・ガバナンスは後者です。

わが国企業の製品やサービスのクオリティは，非常に高い水準を維持しています。にもかかわらず，業績が振るわず株主に還元される利益が少ないのは，企業の経営姿勢に原因があるのではないかと機関投資家は考えたの

です。そこで，彼らは株主として企業経営にアドバイスを行い，同時に具体的な要求をするようになりました。

機関投資家に代表される株主がコーポレート・ガバナンスの役割を担うようになると，企業経営によい意味での緊張感が生まれます。企業が株主の声を無視し続けたり，理解できなかったりすると，株主は株主総会で経営者の交代を要求します。大多数の株主の意見が一致すれば，経営者は交代です。

これからの経営者は，いままで以上に緊張感をもって企業経営にあたる必要があります。株主と対話する必要性も高まってくるでしょう。近年，ＩＲ（Investor Relations）に力を入れる企業が増えています。ＩＲ活動は，投資家（Investor）と企業との対話を促進し，マーケットとの関係を良好にするための行動です。

(5) 株式持ち合いと持ち合い解消

メインバンク・システムと並ぶわが国の企業システムの特徴として，株式持ち合いがあげられます。株式持ち合いは，企業間で株式を持ち合い，お互いをモニターし合うことで，よりよい企業経営を実現しようとするシステムです。

一方，株式持ち合いには短所もあります。株式持ち合いは強固な企業グループを形成するため，グループ内でのつき合いを意識して，企業経営の姿勢が内向きになりかねません。グループ企業が株式の多数を保有するため，株主総会で経営者の責任を問うことは難しくなります。コーポレート・ガバナンスは機能せず，グループ内でもたれ合いが起こります。企業経営は緊張感をなくし，収

益性が落ち込む可能性もあります。

　近年，株式持ち合いの短所が表面化してきました。企業は株式持ち合いの解消を進めています。持ち合い解消によって売却された株式を買っている投資主体の１つは，外国人投資家です。国内の機関投資家と同様に，外国人投資家もわが国企業の潜在的な技術力を認めているのでしょう。企業の株主となり，企業経営に介入することで，将来高い利益還元が実現できると考えているようです。

　外国人投資家の株式保有比率の上昇や企業活動のグローバル化が進んだ現在，わが国の企業経営に外国人が加わることも珍しくありません。彼らは，コーポレート・ファイナンスの知識をもち，株主重視の企業経営を知っています。ある日，上司になった外国人から，「わが社の資本コストを知っているか」という質問があるかもしれません。資本コストは，コーポレート・ファイナンスのキーワードです。

(6) 従業員の視点

　資金調達でもコーポレート・ガバナンスでも，マーケットの役割が大きくなっています。今後ますます加速していくと思われるこの流れが，企業社会で働く人々にとって無関係なはずがありません。日々の企業活動は，企業で働く人々が支えています。経営者の意識だけが変わっても企業は変わりません。社員一人一人が，株主重視の企業経営を理解する必要があります。

　従業員持ち株制度やストック・オプション制度を考えると，経営者や従業員は企業の株主でもあります。従業

員持ち株制度により毎月コツコツと購入した自社株は，大切な資産です。株価が上がると資産価値も増えます。ストック・オプションは，株価が上昇することで，多額の報酬をもたらします。ストック・オプションによって，数億円もの報酬を得ている企業の経営者もいます。一部の大手企業は，株価や企業価値が上昇するとボーナスを増やす報酬体系を導入しています。

株価は多数の投資家が参加するマーケットの評価です。日々の値動きに一喜一憂することはなくても，自社の株式がマーケットでどのような評価を受けているかは気になるものです。株価の大幅な下落は，マーケットが企業経営に疑問を抱いている証拠です。取引先や顧客との関係に悪い影響がでるかもしれません。自社が企業買収の標的にされる可能性もあります。

株価が堅調であれば，マーケットにおける自社の評価は高く安定しています。会社の看板を背負うご自身のビジネスも強気に展開できるでしょう。コーポレート・ファイナンスは，株主の立場から企業を評価します。コーポレート・ファイナンスを学ぶことで，自社の株価が上昇したり下落したりする理由が，これまで以上に理解できることでしょう。

(7) 投資家と学生の視点

年金制度の改革により，個人が年金資金の運用について選択できるようになりました。長引く低金利の影響で，株式投資に興味をもつ個人投資家も増えています。投資家にとって魅力ある投資先は，株主を重視し高い利益還元を実現してくれる企業です。大切な資金を投資する企

業は,株主を軽視する企業ではありません。

　企業の経営姿勢は,学生が就職先を選ぶ際の1つの基準にもなります。自分の希望する仕事に就けても,企業の経営がぐらつくようではいけません。就職が内定していた企業が倒産することもあります。従業員持ち株制度やストック・オプション制度を導入している企業では,就職後の株価動向が資産形成に影響します。

　株主を重視する企業は,投資家の立場からも魅力的ですし,就職先としても魅力的です。コーポレート・ファイナンスは,具体的な企業名を教えてくれるわけではありません。しかし,株主を重視する企業を探し出すヒントは学ぶことができます。

4　資本コストと資金の流れ

(1)　**資本コストとは何か**

　コーポレート・ファイナンスのキーワードは,**資本コスト**(Cost of Capital)です。仕入先に原材料費,従業員に人件費を支払うのと同様に,企業は資金の提供者である投資家に対してコストを支払わなければなりません。このコストが資本コストです。無償で資金を提供してくれる投資家はいません。

　資本コストは企業側の言葉です。投資家の立場からすると,資本コストは資金提供に対する見返り,すなわちリターンです。現時点で企業に投資した資金は,企業活動の成果が表れる将来において回収されます。投資家は,将来のリターンを期待して企業に資金提供します。投資家が期待するリターンを**期待収益率**(Expected Rate of

COFFEE BREAK

──────機関投資家の議決権行使──────

学生：日本生命など有力機関投資家が，6月に集中する株主総会で議決権を積極的に行使するという記事を読みました（日本経済新聞，2002年5月15日）。先生が講義で話されていたことですよね。

先生：そうです。取締役の選任や利益処分案（配当政策）など，企業経営に関する重要な案件は，株主総会で決議されます。通常は，企業の経営陣が議案を作成し，株主に賛否を問います。株主が議案に賛成するか反対するかで，企業経営の方針が決まります。この権利が議決権です。

学生：多くの株主が議案に反対すると，経営陣の議案は否決されるのですね。

先生：そうです。一般的には，議案に反対することを議決権行使といいますね。議決権を行使する株主は，企業経営に対して不満がある，あるいは改善を求めているということです。

学生：新聞によると，機関投資家は，経営不振企業の取締役選任などに反対票を投じ，受託者責任を明確にすると書かれていました。受託者責任とは何ですか。

先生：生命保険会社であれば，保険の加入者からお金（掛け金）を預かり運用しています。保険加入者は，生命保険会社に資金の運用を委託し，生命保険会社は資金の運用を受託しています。受託者である生命保険会社は，保険加入者の利益を第一に考え，資産運用を行う必要があります。これが受託者責任です。

学生：投資先の業績が悪化して，株価が低迷すれば，保険加入者の大切な資金が目減りするから，議決権を行使して，企業にはっぱをかけるという感じですか。

先生：その通りです。生命保険と並んで，年金基金も積極的に議決権を行使しています。

学生：そういえば，先生の講義でアメリカの大手年金基金の話が出てきましたね。たしか名前は……。

先生：カルパースですね。カリフォルニア州職員退職年金基金です。"モノ言う株主"や"行動する株主"の元祖といえる存在です。

学生：そうでした。アメリカの方が，議決権行使によるコーポレート・ガバナンスが進んでいますよね。

先生：その通りです。アメリカ企業の業績が低迷していた1980年代後半以降，カルパースに代表される年金基金などの大手機関投資家が，議決権行使を通じて，積極的に企業経営に参加しています。

学生：具体的には，どのような事例がありますか。

先生：業績や株価が低迷している企業を名指しし，取締役の再任議案に反対票を投じることを表明するのです。この影響で，ＩＢＭやゼネラル・モーターズなど大企業の経営者が辞任に追い込まれました。

学生：そんな大企業のトップが交代させられるのですか。

先生：そうです。典型的なコーポレート・ガバナンスです。最近では，カルパースが，金融のシティ・グループやウォルト・ディズニーの経営トップの再任に反対した事例があります。

学生：ディズニーの件は，新聞で読みました。アメリカの機関投資家も受託者責任の意識が強いのですか。

先生：例えば，カルパースの行動原理は，年金加入者の利益を第一に考えることです。この行動原理の下，カルパースは，議決権の行使だけでなく，不祥事を起こした企業や，株主に不正な損失を与えた企業（利益操作など）を訴訟することもあります。

学生：アメリカの年金基金は，日本企業の株式にも投資しているのですよね。

先生：そうです。彼らは，日本でも行動しています。最近，わが国企業の株主総会で，海外の機関投資家が議案に反対する事例が，数多くみられます。

学生：日本の年金基金はどうしているのですか。

先生：日本の年金基金も行動しています。例えば，厚生年金基金連合会は，「厚生年金基金連合会の議決権行使ガイドライン」という独自の議決権行使基準を定めました。それによると，3期連続で無配または過去5年間の通算損益が赤字である企業の取締役の再任や，独立性が低い社外取締役や監査役の選任などには反対票を投じる可能性があるということです。

学生：日本の機関投資家も，受託者責任の観点から，議決権行使を通じて，企業経営に積極的に参加しつつあるのですね。

先生："モノ言わぬ株主"から"モノ言う株主"へと変わってきています。この傾向はこれからも続くでしょう。

Return）といいます。

　期待収益率は，投資額に対して期待される回収額の割合です。1万円儲かったといっても，投資額が10万円の場合と100万円の場合とでは投資効率が異なります。収益率を用いると，投資額が10万円の場合は10％，100万円の場合は1％となり，投資効率の相違が分かります。

　資本コストは，投資家が資金提供する際に，企業に要求する収益率と考えることもできます。社債や銀行借入れの金利が5％ということは，債権者が資金提供の見返りとして5％の収益率を要求していると解釈できます。同時に，企業は5％の支払いを約束したということです。このため，資本コストを**要求収益率**（Required Rate of Return）ということもあります。**投資家の期待（要求）収益率＝企業の資本コスト**という関係は重要です。

　資本コストはコーポレート・ファイナンスのキーワードです。企業がスムーズに資金調達するためには，企業活動を通じて資本コストが稼げるかどうかがポイントです。簡単なケースを用いて，このことをみていきましょう。みなさんも，自分がビジネスのオーナーになったつもりで考えてください。

(2) **資本コストを稼げるビジネスは資金調達ができる**

　スターバックスやシアトルズベスト，タリーズなどアメリカ生まれのカフェが流行しています。そこで，繁華街にカフェ・スタンドをオープンすることにしました。スタンドとエスプレッソ・マシーンなどの機材を購入するため100万円が必要です。まず，100万円を負債調達

することを考えましょう。金利は5％です。債権者は資金を提供する際に5％のリターンを要求します。1年後には、元利合計105万円を返済する義務があります。このビジネスの資本コストは5％になります。

資金を調達するためには、現実的で説得的な収支計画が必要です。近隣のカフェの状況などを調査し、1年間の収支計画を表1-1のAプランの通り作成しました。

Aプランによると、1年間の売上が500万円、1年後にスタンドを閉店するとして、機材が10万円で売れそうです。合計金額510万円が入ってくる現金です。コーポレート・ファイナンスでは、入ってくる現金をキャッシュ・インフローといいます。出ていく現金は、キャッシュ・アウトフローです。キャッシュ・アウトフローは原材料費200万円と人件費200万円の合計400万円です。

キャッシュ・インフローとキャッシュ・アウトフローの差額は、110万円になります。このことを、キャッシュフローが110万円であるといいます。キャッシュフロー

表1-1 収支計画Aプラン

①	売上	500万円
②	機材売却収入	10万円
③＝①+②	キャッシュ・インフロー	510万円
④	原材料費	200万円
⑤	人件費	200万円
⑥＝④+⑤	キャッシュ・アウトフロー	400万円
⑦＝③−⑥	キャッシュフロー	110万円
⑧	負債の元利返済	105万円
⑦−⑧	残余利益	5万円

図1-4　Aプランにおける資金の流れ

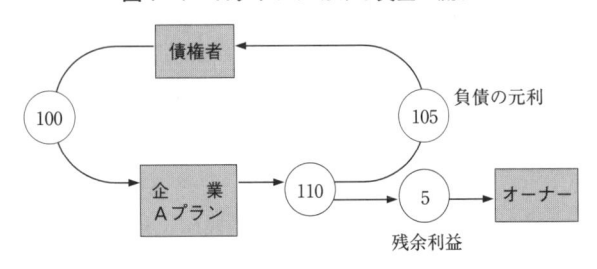

は，資金提供者に返済，あるいは配分できる現金です。Aプランでは，キャッシュフローが110万円になりますから，負債の元利105万円を返済できます。カフェ・ビジネスは，資本コストを稼ぐことができます。債権者がこのプランに同意すると，資金調達ができ，ビジネスが始まります。

資金の流れを書くと図1-4のようになります。カフェ・スタンドのビジネスを行う主体を企業とよびましょう。企業は，現時点でビジネスに必要な資金を債権者から調達します。ビジネスの成果は，キャッシュフロー110万円です。この中から，105万円を債権者に返済し，5万円が残余利益として残ります。これは，企業家であるオーナーの取り分です。ビジネスを行う資質，あるいはビジネスのアイディアに対する報酬です。

(3) 負債調達と株式調達を組み合わせる

会社を設立してビジネスを始める場合，オーナー（創業者）が株主となり，自己資金を出資することがほとんどです。ここでは，オーナーが20万円を出資するケー

I　コーポレート・ファイナンスへの招待

表1-2　Aプラン：80万円負債調達・20万円株式調達

キャッシュフロー	110万円
負債の元利返済	84万円
残余利益	26万円

図1-5　株式調達と負債調達を組み合わせたAプランにおける資金の流れ

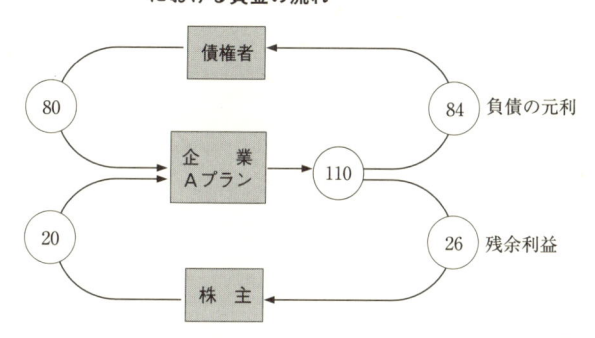

```
           債権者
    80 ─→       ←─ 84  負債の元利
         企　業
         Aプラン → 110
    20 ─→       ←─ 26  残余利益
           株　主
```

スを考えます。オーナーは，企業が発行する株式を20万円で購入します。企業は，オーナーから20万円を株式調達することになります。

不足額80万円は負債調達します。1年後に支払う金利は80万円の5％で4万円です。1年後のキャッシュフローは110万円ですから，元利合計84万円が返済できます。債権者は資金調達に応じます。

負債調達と株式調達を組み合わせて100万円を調達しビジネスを行うと，結果はどうなるでしょうか。表1-2を見てください。1年後のキャッシュフロー110万円の中から債権者に元利84万円を返済すると，残余利益は26万円になります。株主であるオーナーの出資額は

20万円ですから，6万円のリターンが得られます。収益率にすると30%です。

このシナリオによる資金の流れは図1-5に描かれています。企業は，現時点で負債と株式によって，ビジネスに必要な資金を調達します。1年後に企業活動の成果としてキャッシュフローが実現します。これは，原材料費や人件費を支払った後に残る現金です。企業はこの中から債権者に元利を返済します。

残余利益は株主に配当できるお金です。1年限りでビジネスを終えるのであれば，残余利益は株主に配当されます。ビジネスを継続するならば，残余利益を2年目以降の企業活動に投入することもできます。2年目以降も高いリターンが期待できるならば，株主はビジネスの継続に同意するでしょう。

(4) 資本コストを稼げないビジネスは資金調達ができない

債権者から，1年後に機材を売却するのは無理だというクレームがつきました。1年後に機材が売れなければ，キャッシュフローは100万円です。1年後に元利合計105万円が回収できないため，債権者が100万円を融資することはありません。ビジネスに必要な資金100万円をすべて負債調達することはできません。資本コストを稼げないと予想されるビジネスは，資金調達が困難になります。

株式調達と負債調達を組み合わせるとどうなるでしょう。オーナーが自己資金20万円を出資し，残り80万円を負債調達することを考えましょう。1年後のキャッ

表 1-3 収支計画 B プラン

キャッシュフロー	100万円
負債の元利返済	84万円
残余利益	16万円

シュフローは100万円ですから,元利合計84万円は返済できます。債権者は80万円の融資に応じてくれるでしょう。この収支計画をBプランとよびましょう。Bプランの結末はどうなるでしょうか。

表1-3を見てください。キャッシュフローの中から債権者に元利を支払うと,残余利益は16万円です。これが株主の取り分です。株主であるオーナーは,20万円を出資して16万円を受け取りますから,4万円の損失です。収益率にすると−20％です。ビジネスを行うことは,オーナーにとって得策ではありません。

負債による資金調達ができても,株主の資産価値が減少するようなビジネスは,株主の立場から好ましくありません。

株主が損をするのは,ビジネスが資本コストを稼げないからです。Bプランによると,現時点で100万円を投入しても,1年後に100万円のキャッシュフローしか見込めません。これでは,資本コストが稼げません。資本コストが稼げないビジネスは,資金調達ができません。できたとしても株主が損をします。

(5) 株主が損も得もしないビジネス

キャッシュフローが確実に実現するビジネスは,ビジネス・リスクをもちません。リスクがない場合,投資家

表1-4　収支計画Cプラン

	100万円負債調達	80万円負債・20万円株式
キャッシュフロー	105万円	105万円
負債の元利返済	105万円	84万円
残余利益	0	21万円

が期待する収益率は金利です。国債に投資したり銀行にお金を預けたりすると，リスクなく金利がもらえるからです。いまの場合，ビジネス・リスクは考慮されていませんから，カフェ・ビジネスの資本コストは金利に等しく5％になります。

1年後のキャッシュフローが105万円であるCプランを考えましょう。このビジネスは，100万円を投入して105万円の成果がでますから，ちょうど資本コストを稼いでいます。全額を負債調達することも可能ですし，負債調達と株式調達を組み合わせることも可能です。表1-4は，Cプランの収支計画を表しています。

Cプランでは，株主であるオーナーは損も得もしません。全額を負債調達する場合，オーナーの取り分はゼロです。負債調達と株式調達を組み合わせると，オーナー株主は20万円を出資して残余利益21万円を受け取ります。収益率は5％です。リスクがないビジネスから得られる収益率が金利と同じですから，株主は損も得もしていないのです。

(6) 資本コストに関する2つのレッスン

これらのケースから資本コストに関して，2つのレッスンを学ぶことができます。

Ⅰ　コーポレート・ファイナンスへの招待

表1-5　3つのプランにおける債権者と株主の収益率

	Aプラン	Bプラン	Cプラン
キャッシュフロー	110万円	100万円	105万円
負債の元利返済	84万円	84万円	84万円
債権者の収益率	5％	5％	5％
残余利益	26万円	16万円	21万円
株主の収益率	30％	-20％	5％

　第1のレッスンは，資本コストを稼げないビジネスは資金調達が難しいということです。Bプランの場合，ビジネスは資本コストを稼ぐことができません。このとき，必要な資金の全額を債権者から調達することはできません。

　株式調達を組み合わせると，必要な資金は調達できますが，株主が損をします。創業者であるオーナーが，ビジネスを行うことに意義を感じており，少々の損失には目をつむることもあるでしょう。しかし，株主がオーナー以外の第三者であり，損得勘定に敏感であれば，資金を提供することはありません。資金調達ができるか否かは，ビジネスが資本コストを上回る成果をあげるかどうかで決まるのです。

　第2のレッスンは，ビジネスの成果と資本コストの関係は，債権者より株主に大きな影響を与えるということです。表1-5は，A，B，Cそれぞれのプランにおける債権者と株主の受取り額と収益率をまとめたものです。どのプランにおいても，債権者は元利を回収できます。債権者の収益率は5％です。

　株主のリターンはプランによって異なります。資本コ

ストを上回る高い成果が実現するAプランでは,高いリターンが得られます。資本コストを下回る成果しか実現しないBプランだと,株主は損をします。資本コストと同じ成果をもたらすCプランでは,株主は損も得もしません。

ビジネスの成果と資本コストの関係は,株主の資産価値に大きな影響を与えます。株主の資産価値を株主価値とよびましょう。資本コストを上回る成果をあげると,株主価値は増加します。逆に,ビジネスの成果が資本コストを下回ると,株主価値は減少します。

(7) **資本コストと企業経営**

第2のレッスンが示すように,株主価値は資本コストと企業成果の関係に敏感です。株主を重視する企業経営とは,資本コストを上回る成果をあげることだといえます。ただし,現実の企業活動にはビジネス・リスクがつきものです。将来のキャッシュフローが確実なビジネスはほとんどありません。ビジネス・リスクを考えると,次のようにいうことができます。

「株主重視の企業経営とは,**資本コストを意識し**,それを上回る成果がでるように努めることである。あるいは,資本コストを上回る成果が期待できるビジネスを行うことである。」

「努める」「期待できる」ですから,期待はずれの成果がでて資本コストを下回ることもあります。ビジネスにはリスクがつきものです。株主重視の企業経営を心がけていても,思わぬ事態が企業収益に悪影響を及ぼす可能性は排除できません。テロや自然災害,海外の政治リ

スクなどが原因で，個別企業の業績が悪化することは十分考えられます。

マーケットは，ビジネス・リスクを認識したうえで，企業が資本コストを意識した経営を行っているかどうか判断します。近年，資本コストを経営指標として導入する企業が増えています。1つの例として，EVA（Economic Value Added）があります。大まかにいうと，EVAは企業が資本コストを上回る成果をあげるとプラス，そうでないとマイナスになります。EVAがプラスになることは大切です。しかし，それ以上に大切なことがあります。それは，資本コストを意識した経営指標を導入し，実践することで，株主重視の企業経営をマーケットにアピールすることです。

コーポレート・ファイナンスのキーワードである資本コストは，企業活動において重要な指標になります。次章以降では，資本コストの求め方や企業経営への活かし方について，コーポレート・ファイナンスのテーマに沿って説明していきます。

[II]
基礎①
リスク・リターン関係と資本コスト

- 企業活動にはリスクがあります。投資家が企業に期待するリターンは，金利にリスク・プレミアムを加えた期待収益率で表されます。リスク・プレミアムは，リスクを負担することに対する報酬です。
- リスクが大きいほどリスク・プレミアムは高くなります。ハイリスク・ハイリターンの原則です。
- 株式のリスクとリターンの間には，CAPMの関係が成り立ちます。
- 企業の資本コストは，投資家が企業に期待する収益率です。債権者の期待収益率（負債のコスト）と株主の期待収益率（株式のコスト）を加重平均すると，企業の総資本コストに等しくなります。

1 リスクとリターン

(1) 収益率

投資額と投資利益（損失）の比率を収益率といいます。この本ではパーセント（％）を単位にします。収益率は，元手が何％増えたか，減ったかを表します。

$$収益率 = \frac{投資利益（損失）}{投資額}$$

例えば，100万円が105万円になると収益率は5％です。100万円が95万円になると，収益率は－5％です。

(2) 期待収益率とリターン

これまでのカフェ・スタンドの例では，キャッシュフローが確実な収支プランを考えました。キャッシュフローが確実に実現する場合，ビジネスにはリスクがないといいます。

現実の世界において，リスクがないビジネスはほとんどありません。ビジネスにはリスクがつきものです。リスクの要因は様々です。カフェ・スタンドの例では，1年後の機材の売却価格が不確実だと考えられます。また，売上や原材料費，人件費もあくまで予想です。多少の変動はあると考える方が自然です。

将来のキャッシュフローが変動する場合，ビジネスにはリスクがあるといいます。リスクがある場合，ビジネスの収支プランは，キャッシュフローを確率的に予想することになります。

ここでは，リスクのないCプランと比較する形で，リ

Ⅱ 基礎① リスク・リターン関係と資本コスト

図2-1 3つのプランのキャッシュフロー(CF)と収益率

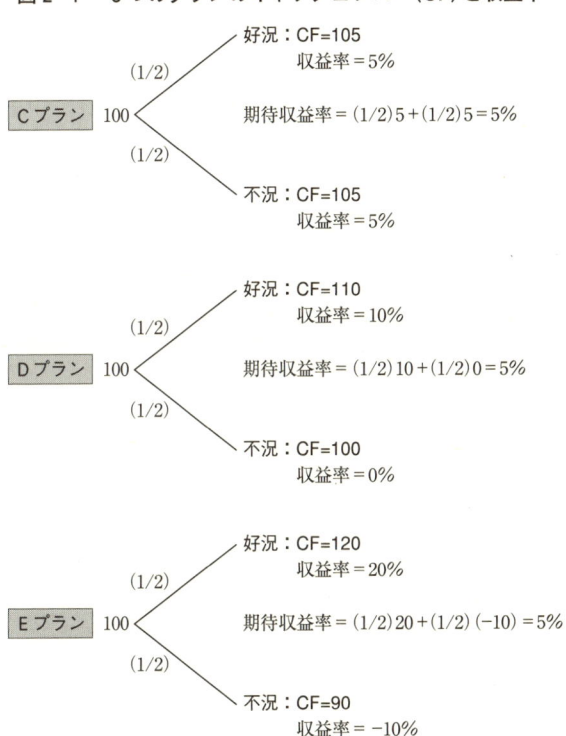

Cプラン 100
- (1/2) 好況:CF=105 収益率=5%
- (1/2) 不況:CF=105 収益率=5%

期待収益率=(1/2)5+(1/2)5=5%

Dプラン 100
- (1/2) 好況:CF=110 収益率=10%
- (1/2) 不況:CF=100 収益率=0%

期待収益率=(1/2)10+(1/2)0=5%

Eプラン 100
- (1/2) 好況:CF=120 収益率=20%
- (1/2) 不況:CF=90 収益率=-10%

期待収益率=(1/2)20+(1/2)(-10)=5%

スクをもつ2つの新しいプランを考えましょう。DプランとEプランです。図2-1には、3つのプランの1年後のキャッシュフロー(CF)と収益率が描かれています。それぞれのプランを実行するのに必要なコストは100万円です。1年後、好況か不況かは不確実です。好況と不況は、同じくらいの確率で起こります。好況の確率は1/2、不況の確率も1/2です。

Cプランにはリスクがありません。キャッシュフローは好況でも不況でも一定です。DプランとEプランのキャッシュフローは，好況か不況かで異なります。DプランとEプランにはリスクがあります。Eプランは，不況になると損失がでることにも注意しましょう。

DプランとEプランのキャッシュフローの平均は，いずれも105万円です。キャッシュフローの平均を期待キャッシュフローといいます。収益率の平均は**期待収益率**です。期待収益率はリターンの指標です。3つのプランの好況と不況の収益率を平均すると，いずれも5％になります。

(期待収益率) = (収益率の平均)

(3) リスク

次に，リスクについて考えましょう。リスクはキャッシュフローが変動するために生じます。キャッシュフローが変動すると，収益率も変動します。好況と不況で収益率がどれくらい変動するか，収益率の幅をみてみましょう。Dプランでは10％，Eプランでは30％の変動幅があります。

DプランとEプランは，景気によってキャッシュフローや収益率が変動するというリスクがあります。リスクの相対的な大きさは，Dプランを1とするとEプランは3です。Eプランのリスクは，Dプランの3倍といえます。

表2-1は，3つのプランのキャッシュフローの期待収益率とリスクについてまとめたものです。Cプランはリスクがない収支計画，Dプランはリスクが小さい収支

Ⅱ 基礎① リスク・リターン関係と資本コスト

表2-1　3つのプランの期待収益率とリスク

	Cプラン	Dプラン	Eプラン
期待収益率	5%	5%	5%
収益率の変動幅	0	10	30
相対的なリスク	0	1	3
リスクの大小	なし	小	大

計画，Eプランはリスクが大きい計画です。

(4) リスク・プレミアム

　リスクがないCプランとリスクがあるDプランを比較しましょう。いまの例では，2つのプランの期待収益率は等しくなっています。現代のコーポレート・ファイナンスは，投資家がリスクを嫌う，あるいはリスクを回避すると考えます。リスクを回避する投資家は，リターンが等しければ，リスクが小さいプランを好みます。リターンは期待収益率です。CプランとDプランはリターンが等しいため，リスクを回避する投資家は，Cプランに資金を提供することになります。

　リスク回避的な投資家は，リスクがあるものすべてを避けるわけではありません。それなりの見返りがあれば，リスクをとってもよいと考えます。その見返りが，リスクに対する割増料，すなわちリスク・プレミアムです。

　リスク・プレミアムの大きさは，投資家のリスク回避の傾向によって異なります。ここでは，Dプランのリスクに対するリスク・プレミアムを1%としましょう。リスク・プレミアムは，リスクがないCプランの収益率に上乗せされます。リスク・プレミアムがついた新しいD

図2-2 リスク・プレミアムがついたDプランとEプラン

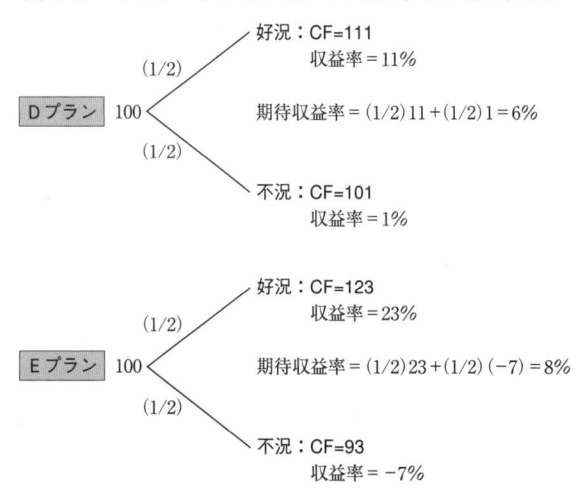

```
              好況：CF=111
              収益率=11%
      (1/2)
Dプラン 100          期待収益率=(1/2)11+(1/2)1=6%
      (1/2)
              不況：CF=101
              収益率=1%


              好況：CF=123
              収益率=23%
      (1/2)
Eプラン 100          期待収益率=(1/2)23+(1/2)(-7)=8%
      (1/2)
              不況：CF=93
              収益率=-7%
```

プランは,収益率で1%,キャッシュフローにして1万円が上乗せされます。

この新しいプランを改めてDプランとよびましょう。図2-2には,Dプランのキャッシュフローと収益率が描かれています。期待収益率は6%です。収益率の変動幅は10%で,リスク・プレミアムがつく前と変わりません。

リスクがあるDプランにリスク・プレミアムがつきました。これでリスク回避的な投資家は,Dプランに資金提供してもよいと考えます。リスク・プレミアムは,リスクを負担することに対する報酬です。リスク・プレミアムが期待できなければ,リスク回避的な投資家は,リスクがあるプランに資金を提供しません。

(5) リスク・プレミアムと期待収益率

リスクがないビジネスのリターンは、金利に等しくなります。国債を買ったり、銀行預金をしたりすると、リスクなく金利がもらえます。リスクがないビジネスのリターンが金利より高ければ、資金はみなビジネスに流れます。逆に、国債や銀行預金の金利が高ければ、リスクがないビジネスに資金を提供する投資家はいません。両者はバランスします。この本では、リスクがない場合の収益率を金利とよびます。

リスク・プレミアムは、期待収益率と金利の差です。Dプランの期待収益率と金利の差1％がリスク・プレミアムです。

　（リスク・プレミアム）=（期待収益率）−（金利）

あるいは、

　（期待収益率）=（金利）+（リスク・プレミアム）

ということもできます。

リスク回避的な投資家がリスクをとるのは、リスク・プレミアムが期待できるからです。もちろん、リスクがあるDプランの収益率が、つねに金利を上回るわけではありません。不況になれば、金利を下回る収益率しか実現しません。

(6) ハイリスク・ハイリターンの原則

今度は、Eプランについて考えましょう。Eプランのリスクは、Dプランより大きいです。Dプランより高いリスク・プレミアムがつかなければ、Eプランに資金を提供する投資家はいません。Eプランのリスクは、Dプランの3倍でした。リスク・プレミアムも3倍の3％と

表2-2 リスク・プレミアムがついた3つのプラン

	Cプラン	Dプラン	Eプラン
期待収益率	5％	6％	8％
収益率の変動幅	0	10	30
相対的なリスク	0	1	3
リスク・プレミアム	0	1％	3％

しましょう。リスク・プレミアムがついた新しいEプランを改めてEプランとよびます。

図2-2には、リスク・プレミアムがついたEプランのキャッシュフローと収益率が描かれています。期待収益率は8％、リスク・プレミアムは3％です。収益率の変動幅は30％で元のプランと同じです。DプランとEプランの相対的なリスクの大きさも1対3で、元のプランと変わりません。

Eプランはリスクが大きいプランです。とくに不況になると、元手の100万円すら回収できません。損失がでるのです。大きなリスクをとる代償として、高いリスク・プレミアムが要求されます。

表2-2は、3つのプランのリスクとリスク・プレミアムについてまとめたものです。リスクが大きいプランは、高いリスク・プレミアムが期待できなければ、投資対象になりません。うらを返すと、リスクが大きくても、それに見合う高いリスク・プレミアムが期待できれば、投資対象になります。ハイリスク・ハイリターンの原則です。リスクが大きいプランは、損失が発生することもあります。投資家は、そのことを認識しています。

このことは、企業活動にも株式投資にも当てはまりま

す。赤字になる企業もあれば、株式投資で損をする人もいます。企業や投資家は、赤字や損失を覚悟してリスクをとるのです。リスク・プレミアムが、リスクの大きさに見合っているからです。

2 企業の資本コスト

(1) 企業のリスクとリターン

企業のビジネスが生み出すキャッシュフローのリスクをビジネス・リスクとよびます。ハイリスク・ハイリターンの原則から、ビジネス・リスクが大きければ、投資家が企業に期待するリターンも高くなります。投資家の期待収益率は、企業にとって資本コストです。ビジネス・リスクが大きいほど、企業の資本コストも高くなります。

この本では、企業の資本コストを総資本コストとよびます。総資本コストは、ビジネス・リスクに応じて決まります。3つのプランが、それぞれ別々の企業によって営まれるとしましょう。CプランはC企業、DプランはD企業、EプランはE企業によって営まれます。

表2-3には、3つの企業のビジネス・リスクと総資本コストが記されています。

表2-3　3つの企業のリスクとリターン

	C企業	D企業	E企業
ビジネス・リスクの大きさ	ゼロ	1	3
総資本コスト（期待収益率）	5%	6%	8%
リスク・プレミアム	0	1%	3%

C企業には，ビジネス・リスクがありません。総資本コストは金利に等しくなります。D企業とE企業には，ビジネス・リスクがあります。総資本コストは，それぞれのプランの期待収益率です。企業のリスク・プレミアムは，ビジネス・リスクの大きさと比例関係にあります。

(2) 債権者と株主のリスクとリターン

　企業に資金を提供している投資家は，債権者と株主に分けられます。通常，債権者と株主が負担するリスクは異なるため，それぞれが期待するリターンも異なります。ビジネス・リスクをもつD企業とE企業をとりあげ，債権者と株主のリスクとリターンについて考えましょう。

　両企業とも，80万円を負債調達し，20万円を株式調達します。負債の金利は5％です。企業は債権者に対して，1年後に元利合計84万円を返済する義務があります。

　企業のキャッシュフローは，債権者と株主に支払われます。債権者と株主のうち，支払いが優先されるのは債権者です。このことに注意して，図2－3のD企業を見てください。好況と不況におけるキャッシュフロー，債権者の受取り額と収益率，株主の受取り額と収益率が書かれています。好況でも不況でも，債権者の受取り額は安定しており，収益率は金利5％に等しくなります。

　株主の受取り額と収益率は大きく変動します。好況だと受取り額は大きく，収益率も高くなります。不況だと受取り額は小さく，収益率はマイナスになります。不況になると株主は損をします。収益率の変動幅は50％です。株主の期待収益率は10％，リスク・プレミアムは

図2-3 債権者と株主の受取り額と収益率

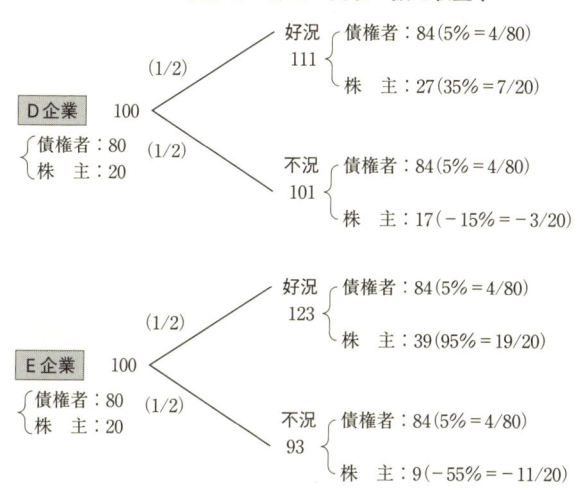

```
                     好況    ┌ 債権者：84(5% = 4/80)
              (1/2)  111 ┤
D企業    100 ┤              └ 株  主：27(35% = 7/20)
┌債権者：80   (1/2)
│                   不況    ┌ 債権者：84(5% = 4/80)
└株  主：20          101 ┤
                            └ 株  主：17(-15% = -3/20)


                     好況    ┌ 債権者：84(5% = 4/80)
              (1/2)  123 ┤
E企業    100 ┤              └ 株  主：39(95% = 19/20)
┌債権者：80   (1/2)
│                   不況    ┌ 債権者：84(5% = 4/80)
└株  主：20           93 ┤
                            └ 株  主：9(-55% = -11/20)
```

表2-4 D企業とE企業の負債と株式

	D企業	E企業
負債のリスク	ゼロ	ゼロ
負債のリターン	5％（金利）	5％（金利）
株式の相対的なリスク	1	3
株式の期待収益率	10％	20％
株式のリスク・プレミアム	5％	15％

5％です。確認してください。

次に，E企業を見てください。D企業と同様に，債権者にはリスクがありません。株主の収益率は，D企業より大きく変動します。収益率の変動幅は150％にもなります。D企業の3倍ですね。株主の期待収益率は20％，

リスク・プレミアムは15％になります。確認してください。

表2-4は，D企業とE企業の負債と株式について，リスクとリターンをまとめたものです。

(3) リスクを負担する株主

元利の返済が確実であれば，負債にはリスク・プレミアムがつきません。ビジネスにはリスクがあることに注意してください。ビジネス・リスクはあっても，債権者はリスクを負担しません。ただし，負債が増えると債権者もリスクを負うことがあります。例えば，Eプランにおいて90万円を金利5％で負債調達すると，不況時には元利合計が支払えません。

リスクを負担するのは，主に株主です。リスクを負担する代わりに，株主にはリスク・プレミアムが支払われます。D企業とE企業の株式には，リスク・プレミアムがつきます。

ハイリスク・ハイリターンの原則も成り立ちます。ビジネス・リスクが大きいE企業の株式は，リスク・プレミアムが高くなります。D企業とE企業の株式リスクの大きさは1対3です。このことを反映して，株式のリスク・プレミアムも1対3になっています。

リスク・プレミアムに関するこれら2つの事実は，実際のマーケットにおいても観察できます。第1に，企業が発行する株式は，社債に比べてリスクが大きく，リスク・プレミアムが高くなります。ただし，株式のリターンが，つねに社債のリターンを上回ることはありません。ビジネス・リスクがある限り，株式投資にはリスクがつ

いてまわります。損するかもしれないのです。

　第2に，ビジネス・リスクが大きい企業の株式ほど，リスク・プレミアムは高くなります。安定的な収益をあげる電力会社やガス会社の株式と，新興ベンチャー企業の株式をイメージしてください。ビジネス・リスクが大きいのはベンチャー企業です。両者のリスク・プレミアムが等しければ，リスク回避的な投資家は，電力会社やガス会社の株式だけを買うはずです。リスクに見合うリスク・プレミアムが期待できるからこそ，ベンチャー企業の株式を買う投資家がいるのです。リスクが大きい株式には，それに見合うリスク・プレミアムがついています。

(4) 負債の資本コストと株式の資本コスト

　負債の資本コストは，債権者が期待する収益率です。負債の元利返済に不安がなければ，負債の資本コストは金利に等しくなります。D企業，E企業とも負債の資本コストは5％です。実際には，企業の負債が100％安全であるといい切れません。倒産したり，資金繰りに困って債務の免除を要請したりする企業もあります。この本では，話を簡単にするため，元利の返済が確実な場合を考えます。

　株式の資本コストは，株主が期待する収益率です。株主が期待する収益率は，リスク・プレミアムの分だけ金利を上回ります。リスクが大きいほど，リスク・プレミアムは高く，株式の資本コストも高くなります。リスクが大きいE企業の株式の資本コストは，D企業より高くなります。

この本では，負債の資本コストを負債のコスト，株式の資本コストを株式のコストということがあります。

総資本コストは，資金提供者である投資家が，企業に期待するリターンです。投資家は債権者と株主に分けられます。企業に対する投資家の期待には，債権者の期待と株主の期待が含まれています。総資本コストには，負債のコスト（債権者の期待）と株式のコスト（株主の期待）が含まれているのです。

負債のコストと株式のコストは，必ずしも同じ割合で含まれるのではありません。負債が多い企業では，負債のコストの割合が大きくなります。

株主資本が多い企業では，株式のコストの割合が大きくなります。負債と株主資本の割合を表す指標が，次に紹介する資本構成です。

(5) 企業の資本構成

負債と株主資本の合計を総資本といいます。総資本に占める負債と株主資本の割合が，企業の**資本構成**です。企業の資本構成は，負債比率，あるいは株主資本比率で表されます。負債比率は，次のように求められます。

$$負債比率 = \frac{負債}{負債 + 株主資本} = \frac{負債}{企業の総資本} \quad (2\text{-}1)$$

D企業とE企業では，負債が80万円，株主資本が20万円ですから，負債比率は，0.8 = 80万円／（80万円＋20万円）になります。

株主資本比率は，次のように求められます。

$$株主資本比率 = \frac{株主資本}{企業の総資本} = 1 - 負債比率 \quad (2\text{-}2)$$

D企業とE企業の株主資本比率は，1－0.8＝0.2となります。

(6) 総資本コストの公式

企業の総資本コストについて，次の公式が成り立ちます。

(総資本コスト) = (負債比率)(負債のコスト)
　　　　　　　＋ (株主資本比率)(株式のコスト) (2-3)

総資本コストは，負債のコストと株式のコストを，負債比率と株主資本比率でウェイトづけして足した値です。この作業を加重平均するといいます。総資本コストは，加重平均資本コストともいわれます。英語ではWeighted Average Cost of Capitalです。略して，WACC（ワック）とよばれることが多いようです。ウェイトである負債比率と株主資本比率を合計すると1になります。

表2-5を見てください。D企業とE企業の資本コストについて，WACCの公式 (2-3) が確認できます。

表2-5　2つの企業のWACC（総資本コスト）

	D企業	E企業
① 負債のコスト（金利）	5％	5％
② 負債比率	0.8	0.8
③ 株式のコスト（株式の期待収益率）	10％	20％
④ 株主資本比率	0.2	0.2
(①×②) ＋ (③×④) ＝WACC	6％	8％

(7) 資本コストとマーケットの情報

企業の総資本コストは，ビジネス・リスクに応じて決まります。ビジネス・リスクはキャッシュフローの変動によるリスクです。キャッシュフローは，企業が保有する有形・無形の資産から生まれます。したがって，ビジネス・リスクは，企業の資産がもたらすリスクです。

企業のビジネス・リスクを負担するのは，資金提供者である債権者と株主です。債権者と株主は，それぞれが負担するリスクに応じてリターンを期待します。債権者の期待収益率は，社債の利回りや銀行借入れの金利に反映されます。株主の期待収益率は，マーケットで取引される株価に反映されます。これらの情報は容易に入手できます。また，多くの投資家の意見が集約されているため，恣意性のはいる余地が小さいといえます。客観的でフェアな情報といえるでしょう。総資本コストを負債と株式の資本コストに分けることで，客観的でフェアな情報を利用して，企業の資本コストが推計できます。

3 資本コストを求める

(1) 資本コストの推計の事例

企業が資本コストを求める手続きについて，1つの事例を紹介しましょう。期待収益率と資本コストが等しいことを念頭において，読んでください。

大阪ガスは2003年3月期から資本コストを織り込んだ株主付加価値（SVA）と呼ぶ独自の経営指標を導入した。会計上の利益では，事業運営のために調達し

た資本の出し手に支払う対価が反映されず,投資の収益性や経営効率を正確に測れないため。多角化事業の評価などに利用する。

SVAは税引き後営業利益から,投下資本(有利子負債と株主資本)に加重平均期待収益率を乗じた額を差し引いた数値。企業の運営に必要な資金を拠出した株主や債権者に支払うべきコストを控除した後の利益なので,同社の野村明雄社長は「真の利益」と位置づけている。前期のSVAを試算すると連結で131億円の黒字。今期は114億円の黒字を目指す。

SVA算出の前提となる加重平均期待収益率は3.2%に設定した。このうち債権者の期待収益率は約2.3%とみられる。SVA導入の検討を始めた2000年秋の10年物国債の平均利回り2.15%程度に,大阪ガスが社債発行時に求められる上乗せ金利(スプレッド,0.2%程度)を足し合わせた。

株主の期待収益率は約3.9%とみられる。10年物国債の平均利回りに,株価変動リスクを負っている代価としてのリスク・プレミアムを加えた数値を「資本資産評価モデル(CAPM)」にしたがって計算した。株主は配当収入や株価の値上がり益を期待する一方,元本の保証がない。債権者よりも高い期待収益率を設定した。

大ガスはSVAを今期からグループの10の事業単位ごとの投資収益性の評価に活用する。都市ガス(前期の売上比率は61%)のほか器具(12%),プロパンガス(7%),食品(4%),不動産賃貸(1%)などがある。

事業単位ごとのＳＶＡは明らかにしていないが、先行投資が膨らんで赤字になっている場合や早期に黒字回復が見込める事業を除き、ＳＶＡが赤字の事業からは原則として撤退する方針。また新しい中期計画が始まる2004年3月期には加重平均期待収益率を再計算する予定だ。

（出所：日経金融新聞，2002年8月1日）

　大阪ガスが資本コストを意識した企業経営を始めたという内容です。資本コストを推計するプロセスの部分は太字にしてあります。

　まず，総資本コストにあたる加重平均期待収益率は3.2％です。債権者の期待収益率である負債のコストは2.3％，株主の期待収益率である株式のコストは3.9％です。株式の期待収益率は，**資本資産評価モデル（Capital Asset Pricing Model：ＣＡＰＭ）にしたがって推定した**とあります。ＣＡＰＭはキャップエムと読みます。ＣＡＰＭについては，次に説明します。文中には紹介されていませんが，資本構成を用いて，これら2つの期待収益率を加重平均すると総資本コストが求まります。

　マーケットで取引される株式と社債のデータを用いて，株式のコストと負債のコストを推計する。それらを加重平均して総資本コストを求める。企業の総資本コストを求める標準的な方法です。

(2) マーケット・ポートフォリオ

　株式の資本コストは，ＣＡＰＭにしたがって求めるの

が一般的です。CAPMは，マーケットで成立するリスクとリターンの関係式です。

D企業とE企業の株式を思い出してください。株式の収益率は，景気の変動に左右されます。好況であれば，株式の収益率は高くなります。不況であれば低くなります。D企業，E企業とも，不況時の株式収益率はマイナスです。

コーポレート・ファイナンスでは，景気変動の指標として，株式市場全体の動向に注目します。株式市場は景気の鏡といわれます。景気がよければ株式市場は活気づき，景気が悪ければ低迷します。

株式市場全体の動向を数値化したものが，日経平均やTOPIXなどの株価指数です。日経平均は，わが国の代表的な225社の株価を平均化したものです。TOPIXは，東京証券取引所の第1部市場に上場されているすべての企業の株価を平均化したものです。日経平均やTOPIXのように，株式市場全体の動きを表す株価指数は，マーケット・ポートフォリオといわれます。ポートフォリオは，たくさんの株式の組み合わせを意味します。

CAPMでは，マーケット・ポートフォリオが重要な役割を果たします。

(3) 株式のベータ

企業の株式は，多かれ少なかれマーケット・ポートフォリオに連動します。多くの株式は，マーケットが上昇すれば値上がりし，マーケットが下落すれば値下がりします。

マーケット・ポートフォリオの収益率は，好況だと

表2-6 2つの株式とマーケットの収益率の情報

		D株式	E株式	マーケット
①	好況時の収益率	35%	95%	65%
②	不況時の収益率	－15%	－55%	－35%
③＝①と②の平均	期待収益率	10%	20%	15%
④＝①－金利	好況時の超過収益率	30%	90%	60%
⑤＝②－金利	不況時の超過収益率	－20%	－60%	－40%
⑥＝④と⑤の平均 ＝③－金利	リスク・プレミアム	5%	15%	10%

65%,不況だと－35%としましょう。期待収益率は15%です。金利は5%ですから,マーケット・ポートフォリオのリスク・プレミアムは10%になります。表2-6は,2つの企業の株式とマーケット・ポートフォリオの収益率に関する情報をまとめたものです。

表には,超過収益率の欄があります。超過収益率は,収益率から金利を引いた値です。超過収益率の平均は,リスク・プレミアムに等しくなります。リスク・プレミアムは,期待収益率から金利を引いた値でもありました。このことは,表からも確認できます。

個別株式とマーケット・ポートフォリオの超過収益率の関係に注目しましょう。好況であれ不況であれ,D株式の超過収益率は,マーケット・ポートフォリオの0.5倍です。E株式の超過収益率は,マーケット・ポートフォリオの1.5倍です。この0.5や1.5という値が株式のベータです。

(D株式の超過収益率)＝0.5(マーケットの超過収益率)
(E株式の超過収益率)＝1.5(マーケットの超過収益率)

マーケット・ポートフォリオが1％動くと，D株式は0.5％動きます。E株式は1.5％動きます。このことを一般化して，次のように表しましょう。

(株式の超過収益率)
　　= β(マーケットの超過収益率)　　　　(2-4)

マーケット・ポートフォリオが1％動くと，個別株式はβ％動くというわけです。ギリシャ文字βはベータと読みます。ベータは，マーケット・ポートフォリオに対する株式の反応度です。ベータは株式によって異なります。マーケット・ポートフォリオのベータは1です。

(4) リスク尺度としてのベータ

株式市場はリスク・マネーが取引される場です。株式市場の動きを代表するマーケット・ポートフォリオの変動は，リスクの基準と考えることができます。このとき，ベータは個別株式のリスク尺度と解釈できます。

例えば，マーケット・ポートフォリオが1％変動すると，D株式は0.5％変動し，E株式は1.5％変動します。株式市場全体のリスクを1とみなせば，ベータが0.5であるD株式のリスクは0.5になります。ベータが1.5であるE株式のリスクは，1.5になります。D株式とE株式の相対的なリスクの大きさは，1対3です。ベータが大きい株式ほどリスクが大きいといえます。

これ以降は，収益率の変動幅ではなく，ベータをリスクの尺度とします。

(5) CAPM

超過収益率の平均はリスク・プレミアムです。超過収

COFFEE BREAK

— ファイナンスとコーポレート・ファイナンスとノーベル賞 —

学生：前の学期に証券投資論の講義を受けたので，コーポレート・ファイナンスの講義がよく理解できます。

先生：それはよいことです。コーポレート・ファイナンス（Corporate Finance）と証券投資論（Investments）は，どちらもファイナンス（Finance）とよばれる学問領域に属します。関係が深い科目です。

学生：証券投資論の講義では，投資家の立場から，株式と債券の評価や分散投資について学びました。コーポレート・ファイナンスは，企業の立場から考えるのですよね。

先生：そうです。コーポレート・ファイナンスの講義では，企業の立場から，資金の流れやマーケットとのつき合い方について考えます。コーポレート・ファイナンスのキーワードは何でしたか。

学生：えーっと，資本コストと現在価値です。

先生：資本コストと現在価値は，証券投資論でもよく出てきたでしょう。

学生：現在価値は，債券や株式評価のセクションで勉強しました。資本コストという用語は，あまり出てこなかったように記憶しているのですが。

先生：資本コストは，コーポレート・ファイナンス寄りの表現です。企業が負担するコストですから，企業の立場からみています。企業に投資する投資家の立場からみると，資本コストは何になりますか。

学生：期待収益率です。あっ！

先生：もうお分かりですね。証券投資論では，期待収益率（リターン）という言葉が使われていたと思いますよ。

学生：そうでした。何度も何度も出てきました。

先生：資本コストは，（ビジネス）リスクとリターンの関

　　　　係で決まります。リスクとリターンの関係は，多数の投資家が参加する証券市場で決まります。証券投資論では，リスク・リターン関係がどう決まるかについて詳しく勉強します。証券投資論で資本コストの決まり方を学び，コーポレート・ファイナンスで資本コストの（企業経営への）活かし方を学びます。コーポレート・ファイナンスと証券投資論は，資本コスト＝期待収益率という関係で結ばれています。

学生：なるほど。

先生：証券投資論の授業では，夏休みのアウトドアについても詳しく解説したでしょう？

学生：……。

先生：ＣＡＭＰですよ。

学生：もしかして，ＣＡＰＭですか。

先生：そうそう（笑）。誰の業績かご存じですか。

学生：たしか，ウィリアム・シャープ（William Sharpe）教授でした。ノーベル経済学賞（1990年）を受賞された方ですよね。

先生：そうです。ファイナンスの偉人たちは，よくノーベル経済学賞をとっています。ほかにもご存じですか。

学生：証券投資論では，ポートフォリオ理論のハリー・マーコヴィッツ（Harry Markowitz）教授（1990年受賞）や，オプション・モデルのマイロン・ショールズ（Myron Scholes）教授とロバート・マートン（Robert Merton）教授（ともに1997年受賞）の名前が出てきました。

先生：コーポレート・ファイナンスでは，ＭＭの無関連命題（Ｖ章に出てきます）を示したフランコ・モジリアーニ（Franco Modgliani）教授（1985年受賞）とマートン・ミラー（Merton Miller）教授（1990年受賞）が受賞しています。現代のファイナンス論やコーポレート・ファイナンス論には，ノーベル経済学者たちの偉業が，ぎっしり詰まっています。

学生：先生もがんばってくださいね。

先生：……。

益率について成り立つ (2-4) 式の両辺を平均すると，リスク・プレミアムの関係式になります。

(株式のリスク・プレミアム)
　　= β (マーケットのリスク・プレミアム)　(2-5)

関係式 (2-5) が，**資本資産評価モデル（ＣＡＰＭ）**です。再び表2-6を見てください。D株式，E株式とマーケット・ポートフォリオのリスク・プレミアムについて，ＣＡＰＭの関係が成り立っています。

マーケットのリスク・プレミアムはプラスです。そうでないとリスク回避的な投資家は株式投資をしません。ＣＡＰＭによると，ベータが大きいほど，株式のリスク・プレミアムは高くなります。

ベータはリスクの指標でもあります。ベータが大きい株式は，リスクが大きい株式です。ＣＡＰＭは，リスクが大きい株式のリスク・プレミアムが高くなることを示しています。ハイリスク・ハイリターンの原則です。

リスク・プレミアムは，期待収益率と金利の差ですから，ＣＡＰＭを次のように表すこともできます。

(株式の期待収益率) − (金利)
　　= β (マーケットの期待収益率 − 金利)

表2-7　マーケット・ポートフォリオと2つの株式のリスクとリターン

	マーケット	D株式	E株式
ベータ (リスク)	1	0.5	1.5
リスク・プレミアム	10%	5%	15%
期待収益率	15%	10%	20%

Ⅱ 基礎① リスク・リターン関係と資本コスト

(株式の期待収益率)

＝(金利)＋β(マーケットの期待収益率－金利) (2-6)

表2-7は,マーケット・ポートフォリオと2つの株式のリスクとリターンの関係を整理したものです。

(6) 証券市場線

縦軸に期待収益率,横軸にベータをとって,(2-6)式を図示したのが図2-4です。図の直線は,リスク尺度ベータとリターンである期待収益率の関係を表しています。ベータがゼロのとき,リスクはありませんから,リターンは金利に一致します。直線の切片は金利です。ベータが大きくなると,ハイリスク・ハイリターンの原則にしたがって,リターンも大きくなります。(2-6)式から分かるように,直線の傾きは,マーケット・ポートフォリオのリスク・プレミアムです。

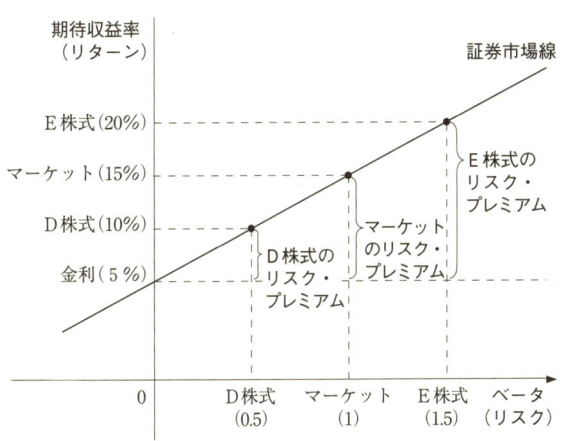

図2-4 証券市場線

この直線は，証券市場線とよばれます。リスクとリターンの間には，直線の関係が成り立ちます。直線上には，D株式，マーケット・ポートフォリオ，E株式のベータと期待収益率が記されています。

(7) 株式の資本コストを推計する

株式の資本コストは，株式の期待収益率です。(2-6)式を見てください。金利，ベータ，マーケット・ポートフォリオの期待収益率が分かれば，CAPMから株式の資本コストを推計することができます。

CAPMの金利には，国債の流通利回りを用いるのが一般的です。国債の流通利回りは日本経済新聞などに掲載されています。

マーケット・ポートフォリオの期待収益率は，過去60カ月（5年間）の日経平均やTOPIXの平均収益率を用いることが多いようです。5年に限る必要はありません。10年や30年のデータを用いることもあります。株式市場が長期間低迷し，過去の収益率がマイナスになることがあります。その場合は，アナリストやエコノミストが予想する株式市場の見通しを利用するのがよいでしょう。マーケット・ポートフォリオの期待収益率は，金利を上回るのが正常です。

株式ベータは，過去の超過収益率のデータを用いて推計します。(2-4)式から分かるように，個別株式とマーケット・ポートフォリオの超過収益率には，直線の関係があります。例えば，図2-5はD株式とマーケット・ポートフォリオの直線関係を図示したものです。直線の傾きがベータになります。

図2-5　D株式とマーケット・ポートフォリオの直線関係

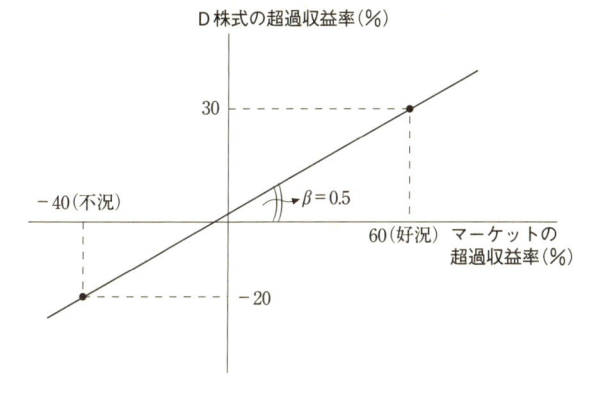

D株式の超過収益率(%)

30

-40(不況)

$\beta=0.5$

60(好況) マーケットの超過収益率(%)

-20

　過去のデータを用いて直線の傾きを求めるには，回帰分析の手法を用いるのが標準的です。回帰分析の手法については，巻末で紹介するテキストなどを参照してください。上場企業であれば，東京証券取引所などが株式ベータを計測し，データベース化しています。便利なものですから，私もよく利用します。

(8) 総資本コストを推計する

　CAPMにしたがって株式の資本コストを推計する具体的な手順が分かりました。負債の資本コストは，負債に適用される金利です。社債の利回りや銀行借入金利が相当します。総資本コストの公式 (2-3) に必要な残りの情報は，負債比率と株主資本比率です。(2-1) 式，(2-2) 式によると，負債と株主資本の金額が分かれば，これらの比率が求まります。

　現時点の資本コストを求めるのですから，負債と株主

資本は時価を用います。マーケットで取引されている社債の時価は、取引価格を用いると容易に求まります。市場性がない社債や銀行借入れの場合、企業が健全であれば、時価と簿価の差はほとんどありません。この場合は、簿価を用いても問題ありません。格付けが著しく低下するなど、企業が健全でなければ、負債の時価と簿価は大きく乖離しています。この場合は、格付け情報などを利用して、負債の時価を算出する必要があります。

株主資本の時価は、株価と発行済み株式数をかけたものです。株式がマーケットで取引されていない企業は、類似企業の株価を参考にします。

企業の総資本コストの推計に必要な情報がそろいました。これらを (2-3) 式に代入すると、総資本コストWACCが求まります。(2-3) 式を再掲しておきましょう。

(WACC)＝(負債比率)(負債のコスト)
　　　　＋(株主資本比率)(株式のコスト)

(9) 資本コストのまとめ

企業の総資本コストは、ビジネス・リスクに応じて決まります。これが原則です。ビジネス・リスクが大きければ、投資家が期待するリスク・プレミアムは高く、総資本コストも高くなります。ビジネス・リスクが小さければ、リスク・プレミアムは低く、総資本コストも低くなります。

ビジネス・リスクは、キャッシュフローを生み出す資産のリスクです。資産のリスクは、資本を構成する債権者と株主が負担します。債権者と株主は、それぞれが負

担するリスクの大きさに応じてリターンを期待します。債権者が期待するリターンは負債の資本コスト,株主が期待するリターンは株式の資本コストです。2つの資本コストを加重平均すると,企業の総資本コストになります。

(10) 資本コストを求める練習

企業の総資本コストを求める練習をしておきましょう。

金利2％の銀行借入れが20億円ある上場企業を考えます。この企業は健全で,元利の返済は確実です。企業の発行済み株式数は500万株,株価は200円です。日経平均の過去の動向から,マーケット・ポートフォリオの期待収益率は12％,リスク・プレミアムは10％と予想できます。東京証券取引所のデータベースによると,この企業の株式ベータの推定値は1.2です。この企業の総資本コストを求めましょう。

まず,株式の資本コストをＣＡＰＭ (2-6) 式から求めます。健全な企業ですから,借入金利と国債の利回りに大きな差がないと考えてよいでしょう。金利は2％を用います。それぞれの数値をＣＡＰＭに代入すると,

$$2 + 1.2(10) = 14\%$$

になります。株式の資本コストは14％です。

企業には負債が20億円あります。負債のコストは借入金利2％です。株主資本の時価は,発行済み株式数と株価をかけた値です。500万株 × 200円 = 10億円になります。企業の総資本は,20億円 + 10億円 = 30億円です。負債比率は2/3,株主資本比率は1/3です。以上の数値

を公式(2-3)に代入すると総資本コストが求まります。

2 (2/3) + 14 (1/3) = 6％

この上場企業のWACCは6％と推計できます。

[Ⅲ]

基礎②
現在価値とキャッシュフロー

- 将来のキャッシュフローの現在価値を求めるDCF法は、企業活動の成果とコストを比較するのに便利です。
- リスクがないキャッシュフローの現在価値は、キャッシュフローを（1＋金利）で割り引いて求めます。
- リスクがあるキャッシュフローの現在価値は、期待キャッシュフローを（1＋期待収益率）で割り引いて求めます。
- 企業価値は、将来の期待キャッシュフローを総資本コストで割り引いて求めます。キャッシュフローは債権者と株主に配分できる資金です。（企業価値）＝（負債価値）＋（株主価値）になります。

1 コーポレート・ファイナンスと現在価値

　企業は投資家から調達した資金を用いて生産・販売活動を行います。企業活動の成果は投資家に還元されますが，それには時間がかかります。企業は，将来の成果を予想して，現時点でビジネスを行うか見送るかを決定します。投資家は，将来の利益還元を期待して，現時点で企業に資金提供するかどうかを決定します。企業も投資家も，現在と将来を比較して意思決定をします。

　コーポレート・ファイナンスは資金がテーマです。意思決定の基準は，現在の金額と将来の金額の比較になります。時点が異なる2つの金額は，時点を合わせて比較するのが便利です。企業も投資家も現時点で意思決定をしますから，将来の金額を現在の金額に換算するのがよいでしょう。将来の金額を現在の金額に換算した値は，**現在価値（Present Value）**とよばれます。この本では，現在価値を記号PVで表すことがあります。現在価値の反対は将来価値です。現在の金額を将来の金額に換算した値です。

　企業は，ビジネスに必要なコストとその成果を比較して，意思決定を行います。ビジネスの成果はキャッシュフローです。通常のビジネスは，現時点でコストが必要とされ，将来にキャッシュフローが実現します。将来のキャッシュフローと現在のコストを比較するため，キャッシュフローを現在価値に換算します。キャッシュフローの現在価値は，企業や投資家が意思決定を行う際に重

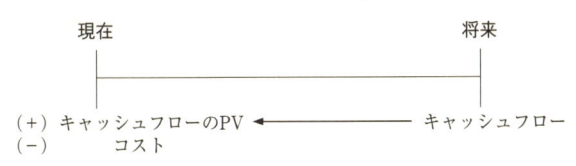

Ⅲ 基礎② 現在価値とキャッシュフロー

図3-1 キャッシュフローの現在価値とコスト

```
   現在                          将来
    |────────────────────────────|
(+) キャッシュフローのPV  ←──── キャッシュフロー
(-) コスト
```

要な情報になります。

2　リスクがないキャッシュフローの現在価値

(1)　1年後のキャッシュフローの現在価値

「1年後の100万円はいまいくらか」あるいは「1年後100万円を手にするには, いまいくら必要か」。これが基本的な問題です。どちらも「1年後の100万円の現在価値はいくらか」と聞いています。

キャッシュフローにリスクがない場合は簡単です。例えば, 金利が5%であれば, PV×1.05=100を満たすPVを求めればいいのです。PVは現在価値の記号です。いま手元にあるPV円を金利5%で1年間運用（預金）すると, 100万円になるというのが式の意味です。PVについて解くと,

$$PV = \frac{100}{1.05} = 95.23$$

になります。1年後の100万円の現在価値は, 95.23万円です。

同様に, 1年後の105万円の現在価値は, PV×1.05=105を満たすPVです。100万円になりますね。金

利が5％のとき，1年後の105万円の現在価値は100万円です。

(2) DCF法と割引率

リスクがない1年後のキャッシュフローの現在価値は，次の公式で与えられます。PVは現在価値，CFはキャッシュフローです。

$$PV = \frac{1年後のCF}{1 + 金利} \quad (3\text{-}1)$$

現在価値は，キャッシュフローを（1＋金利）で割った値になります。この作業を割引といいます。（1＋金利）を割引率といいます。割引を強調するため，現在価値を割引現在価値ということもあります。キャッシュフローを割り引いた値は，英語でいうと，Discounted Cash Flow，略してDCFです。キャッシュフローの現在価値を求める方法は，DCF法とよばれます。(3-1)式から分かるように，現在価値に（1＋金利）をかけると，将来のキャッシュフローになります。

(3) 金利と現在価値の関係

(3-1) 式から，金利と現在価値の関係が分かります。将来のキャッシュフローを一定にすると，金利が高いほど現在価値は小さくなります。金利が低いほど現在価値は大きくなります。

リスクがないCプランを例にしましょう。いま100万円を使ってビジネスを始めると，1年後に105万円のキャッシュフローが実現します。金利が5％のとき，キャッシュフローの現在価値は100万円です。キャッシュフ

Ⅲ　基礎②　現在価値とキャッシュフロー

表3-1　金利とキャッシュフローの現在価値

金利	4％	5％	6％
キャッシュフローのPV（成果）	101万円	100万円	99万円
コスト	100万円	100万円	100万円
意思決定	実施	どちらでもよい	見送り

ローの現在価値は，ビジネスの成果を現時点で評価した値です。キャッシュフローの現在価値とコストを比較して，企業はビジネスを実施するか見送るか決定します。成果とコストが等しければ，ビジネスを実施するもよし，見送るもよしです。

金利が4％の場合はどうでしょう。(3-1) 式から現在価値を求めると101万円になります。確認してください。この場合，ビジネスの成果がコストを上回りますから，企業はビジネスを実施します。

金利が6％の場合，キャッシュフローの現在価値は99万円になります。この場合，ビジネスの成果がコストを下回りますから，企業はビジネスを見送ります。表3-1は，この結果をまとめたものです。

(4)　2年後のキャッシュフローの現在価値

リスクがない2年後のキャッシュフローの現在価値を求めましょう。図3-2を見てください。2年後のキャッシュフロー（ＣＦ）の現在価値を求めるには，割引を2回行います。2年後のＣＦを（1＋金利）で1回割り引くと，1年後の価値が求まります。この値をもう1回割り引くと現在価値が求まります。ＣＦ／(1＋金利)^{2}になりますね。

図3-2　2年後のキャッシュフローの現在価値

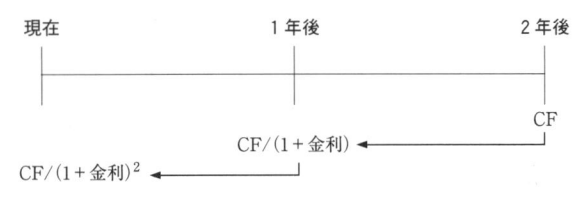

```
現在            1年後              2年後
|—————————————|—————————————|
                                 CF
              CF/(1+金利) ←————————|
CF/(1+金利)² ←—————————|
```

リスクがない2年後のキャッシュフローの現在価値について，次の式が成り立ちます。

$$PV = \frac{2年後のCF}{(1+金利)^2} \qquad (3\text{-}2)$$

(3-2) 式から分かるように，現在価値に (1+金利) を2回かけると，2年後のキャッシュフローになります。3年後，4年後，5年後……についても同様です。

3　リスクがあるキャッシュフローの現在価値

(1) リスクがあるキャッシュフローを割り引く

キャッシュフローにリスクがなければ，その現在価値は (1+金利) で割り引いた値です。リスクがあるキャッシュフローの現在価値は，期待キャッシュフローを

(1+金利+リスク・プレミアム) = (1+期待収益率)

で割り引いた値になります。

リスクがある1年後のキャッシュフローの現在価値について，次の関係が成り立ちます。

$$PV = \frac{1年後の期待CF}{1+期待収益率} \qquad (3\text{-}3)$$

リスクがある場合の (3-3) 式は, リスクがない場合の (3-3) 式と2つの点で異なります。第1に, 分子がキャッシュフローの期待値になることです。キャッシュフローは不確実ですから, その平均値を用います。第2に, 割引率にリスク・プレミアムが加わることです。リスクがあるキャッシュフローを金利だけで評価してはいけません。リスク・プレミアムを考慮する必要があります。

リスクがある2年後のキャッシュフローの現在価値は, 期待キャッシュフローを期待収益率で2回割り引いて求めます。

$$PV = \frac{2年後の期待CF}{(1+期待収益率)^2} \tag{3-4}$$

(2) 資本コストと現在価値

リスク回避的な投資家が, リスクのあるビジネスを金利だけで評価することはありません。リスク・プレミアムを考慮した期待収益率で評価します。投資家の期待収益率は, 企業にとって資本コストです。企業がリスクのあるキャッシュフローを評価するとき, (3-3) 式は, 次のように書く方がよいかもしれません。

$$PV = \frac{1年後の期待CF}{1+資本コスト} \tag{3-5}$$

ビジネス・リスクが大きくなると, リスク・プレミアムが高くなり, 資本コストも高くなります。このとき, キャッシュフローの現在価値は小さくなります。リスクが大きいほど, キャッシュフローの現在価値は小さくなります。

(3) 資本コストと割引率と期待収益率

リスクがあるEプランについて考えましょう。Eプランの1年後の期待キャッシュフローは108万円，資本コストは8%でした。(3-3)式より，Eプランのキャッシュフローの現在価値は，100万円になります。これは，Cプランの現在価値と同じです。リスクがないCプランとリスクがあるEプランは，キャッシュフローの現在価値が等しくなります。

Eプランの期待キャッシュフロー108万円は，Cプランのキャッシュフロー105万円より大きいことに注意しましょう。Eプランにはリスクがあります。リスク回避的な投資家は，リスクに対してリスク・プレミアムを要求します。その分，Eプランの割引率は大きくなります。期待キャッシュフローだけでなく，割引率も大きくなるため，EプランとCプランの現在価値は等しくなるのです。

図3-3は，Eプランの現在価値と期待キャッシュフローの関係を表しています。100万円を元手にEプラン

図3-3 リスクがあるビジネスの期待キャッシュフローと現在価値

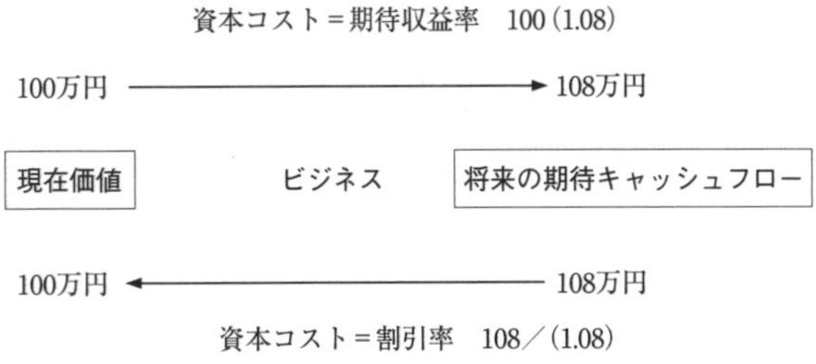

資本コスト＝期待収益率　100(1.08)

100万円 ──────────────→ 108万円

| 現在価値 | ビジネス | 将来の期待キャッシュフロー |

100万円 ←────────────── 108万円

資本コスト＝割引率　108／(1.08)

を行うと,将来の期待キャッシュフローは108万円です。この場合,資本コスト8％は期待収益率になります。逆に,将来の期待キャッシュフロー108万円の現在価値は100万円です。この場合,資本コストは割引率として用いられます。

(4) リスクがあるビジネスの評価

リスクがあるビジネスでは,期待キャッシュフローの現在価値がビジネスの成果です。Eプランのビジネスの成果は100万円です。コストが100万円より低ければ,ビジネスを実施するのがよい判断です。コストが100万円より高ければ,ビジネスを見送るのが賢明です。このことは,表3-2にまとめられています。

リスクについて復習します。Eプランのコストが99万円だとしましょう。このとき,ビジネスの成果は,平均的にコストを上回ります。Eプランにはリスクがあるので,成果がつねにコストを上回るとは限りません。1年後が不況だと,キャッシュフローは93万円ですから,コストを下回ります。好況だと,1年後のキャッシュフロー123万円は,コストを大きく上回ります。

表3-2 リスクがあるビジネスのコストと意思決定

資本コスト(割引率)	8％	8％	8％
キャッシュフローのPV	100万円	100万円	100万円
コスト	99万円	100万円	101万円
意思決定	実施	無差別	見送り

4 企業価値とキャッシュフロー

(1) コーポレート・ファイナンスと キャッシュフロー

キャッシュフローは，企業がその活動の成果として，資金提供者に還元できる資金です。資金の流れを考えるコーポレート・ファイナンスにおいて，キャッシュフローは重要な概念です。投資家は，ビジネスが生み出すキャッシュフローを期待して資金を提供します。企業は，投資家の期待に応えるキャッシュフローの実現を目指します。

巻末で紹介するテキストでは，会計情報からキャッシュフローを算出する方法が紹介されています。入門の段階では，キャッシュフローは，現金収入と現金支出の差額で，債権者と株主に配分できる金額だと覚えてください。

コーポレート・ファイナンスでは，企業活動の成果をキャッシュフローと考えます。企業は，キャッシュフローの現在価値とコストを比較してビジネスを評価し，意思決定を行います。ビジネスの評価ばかりではありません。企業の評価もキャッシュフローをベースに行われます。

(2) 企業価値

企業の貸借対照表を見てみましょう。左側の資産の部には，企業が保有する資産が列挙されています。右側の資本の部は，資金調達に関する情報です。負債と株主資

III 基礎② 現在価値とキャッシュフロー

図3-4 企業の貸借対照表

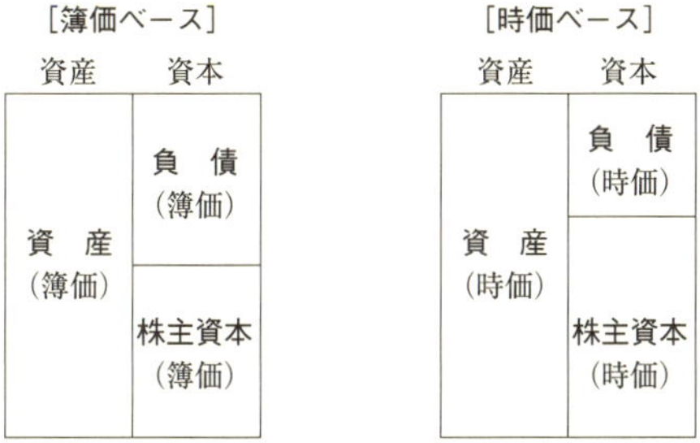

[簿価ベース]

資産	資本
資 産 （簿価）	負 債 （簿価）
	株主資本 （簿価）

[時価ベース]

資産	資本
資 産 （時価）	負 債 （時価）
	株主資本 （時価）

本に分けられています。資産の部と資本の部がバランスするのは，債権者と株主から調達した資金で資産を購入したという証しです。

コーポレート・ファイナンスでは，資産の時価評価額を企業価値といいます。資産の時価評価額とは，資産が生み出すキャッシュフローの現在価値です。これまでの説明から，企業価値は，将来の期待キャッシュフローをWACCで割り引いた値になることが分かります。

企業のキャッシュフローは，債権者と株主に配分されます。したがって，キャッシュフローの現在価値は，負債と株主資本の時価に等しくなります。次の関係が成り立ちます。

（企業価値）＝（資産価値）
　　　　　＝（負債価値）＋（株主資本価値）

このように，企業の貸借対照表は，時価ベースでもバランスします。II章でも述べましたが，コーポレート・ファイナンスでは，時価をベースにして考えます。

企業価値をDCF法で評価する方法は，M&Aにおい

て，企業の売買価格を算定する際などに利用されます。

(3) 資本コストとROA，ROE

資本コストに近い会計的な指標として，総資産利益率（ROA：Return on Asset）と株主資本利益率（ROE：Return on Equity）があります。資本コストは，投資家が企業に期待する収益率でした。ROAは，総資産に対する利益率であり，総資本コストに近い概念です。ROEは，株主資本に対する利益率であり，株式の資本コストに近い概念です。

COFFEE BREAK
―― ブランドの評価と不良債権の査定 ――

ブランドや特許権などに代表される無形資産が注目を集めています。21世紀の企業間競争は，目に見えない無形資産によって優劣が決まるという指摘もあります。

無形資産の価値を測定する方法として，次のようなアプローチが知られています。
 (ⅰ) 無形資産を獲得するために必要なコストをベースに評価するコスト・アプローチ
 (ⅱ) 市場で取引される無形資産の価格をベースにするマーケット・アプローチ
 (ⅲ) 割引現在価値法（DCF法）

コーポレート・ファイナンスが推奨するのは，もちろんDCF法です。無形資産がもたらすキャッシュフローを，適正な割引率を用いて現在価値に換算する方法です。ブランドの評価モデルとして有名な「経済産業省モデル」は，DCF法をベースにしています。

同種の商品でも，ブランドによって値段が異なることがあります。日産自動車のカルロス・ゴーン氏は，かつて幹部会で「日産の車は，トヨタの同種の車と比べて，10万円ほど安く売られている。この差はブランドの違いである」と言ったそうです。この場合，トヨタのブランドが生み出

Ⅲ 基礎② 現在価値とキャッシュフロー

ROAやROEと資本コストには，大きな違いが3つあります。第1に，簿価をベースにするか，時価をベースにするかです。会計的な指標であるROAやROEは，簿価をベースにする利益率です。これに対して，資本コストは時価をベースにします。

第2に，会計利益を用いるか，キャッシュフローを用いるかです。ROAやROEは会計利益を用いますが，資本コストではキャッシュフローを用います。キャッシュフローは，投資家に配分できる資金です。

第3に，ROAやROEは過去の成果を表すのに対し

すキャッシュフローは，車1台当たり10万円と考えられます。将来の予想販売台数をかけると，トヨタのブランドが生み出す期待キャッシュフローの総額が推定できます。資本コストで割り引くと，ブランドの価値が求まります。

DCF法が活躍するのは，ブランドの評価だけではありません。不良債権の査定においても，DCF法は利用されます。わが国では，銀行の不良債権の査定法として，DCF法が脚光を浴びた経緯があります。

従来，日本の銀行は，過去に貸出金が回収不能になった経験的な比率をベースにして，貸出債権の回収不能額を見積もり，不良債権としていました。不良債権は，将来回収が不可能になると見込まれる金額です。従来の方法は，過去のモノサシで将来を測るやり方です。過去のトレンドが将来も続くと予想される場合は，この方法でよいでしょう。しかし，過去に経験したことがない状況が起こりつつある場合は，過去のモノサシを捨て，客観的に将来を見据える方がよいでしょう。

DCF法による不良債権の査定では，貸出先企業の収益や資産内容を精査し，債権の回収可能額を予測します。債権の回収可能額は，銀行にとってキャッシュフローです。リスクと金利を考慮した割引率を用いて，回収可能額の現在価値を求めます。実際の貸出額と回収可能額の現在価値との差額が，不良債権になります。

て,資本コストは将来を見据えた指標だということです。目標ＲＯＡや目標ＲＯＥになると，さらに資本コストに近くなります。時価をベースにして目標ＲＯＡや目標ＲＯＥを算出すると，資本コストにほとんど一致することでしょう。

　これで，企業活動における資金の流れを議論する準備が整いました。投資家からスムーズに資金が流れ，企業が資金を有効に活用し，投資家が満足する利益還元を実施する。このスキームが実現し，それが繰り返されるために，企業はどのように意思決定すべきでしょうか。そして，投資家はどのような点に注意すべきでしょうか。次のⅣ章では，企業の重要な意思決定である実物投資について考えます。

[IV]
企業の投資行動はどう決まるか

- DCF法を適用したNPV（正味現在価値）は，プロジェクトの成果とコストの差額です。
- NPVがプラスのプロジェクトは価値を生みます。実施するのが正しい判断です。NPVがマイナスのプロジェクトは価値を失います。見送るのが正しい判断です。
- NPVは株主価値に影響します。NPVがプラスのプロジェクトを採択すると，株主価値は高まります。株主にとって有益なプロジェクトといえます。
- プロジェクトがもつ選択肢をリアル・オプションといいます。簡単な事例を用いて，リアル・オプション分析を解説します。

1 コーポレート・ファイナンスと企業の投資決定

企業活動に必要な土地,店舗,工場,設備,情報システムなどを実物資産とよび,現金,預金や有価証券などの金融資産と区別します。実物資産を購入することを**実物投資**といいます。実物投資は,企業活動の根幹です。自動車メーカーは,自動車の製造に必要な設備を購入します。カフェ・スタンドは,エスプレッソ・マシーンや顧客を惹きつけるスタンドなどに投資します。実物投資なくして,企業活動を行うことはできません。

企業活動の根幹である実物投資は,多額の資金を必要とします。誤った判断をすると,多額の資金が無駄になります。投資家から調達した資金を有効に活用し,十分な利益還元を実現するには,実物投資の前段階であるビジネス・プランの選択が重要です。

企業の投資行動は,ビジネス・プランの作成から始まります。ビジネス・プランは,様々な状況を想定し,綿密な調査を行い,ビジネスの成果とコストを予想します。成果は将来のキャッシュフローです。コストは主に実物投資です。こう書くと簡単ですが,実際の作業には,多大な時間と労力,そして細心の注意が必要になります。企業活動の根幹に深くかかわる作業ですから,当然といえば当然です。

ビジネス・プランができると,それを採択するか否かを決定します。この意思決定を企業の**投資決定**とよびます。投資決定がなされると,プランに沿ってビジネスが

Ⅳ 企業の投資行動はどう決まるか

図4-1 コーポレート・ファイナンスと投資決定

```
投資決定 → 資金調達 → 投資行動 → 配当・利益還元
```

実施されます。資金を調達し,実物投資を行い,生産・販売活動が始まります。

何をするにも最初が肝心です。企業活動においても,最初の投資決定が重要です。図1-2で見たように,投資行動は資金調達の後に行われます。ただし,資金調達する時点で,投資決定はなされており,資金の使途は決まっています。資金の使途が明らかでない企業に資金を提供する投資家はいないでしょう。資金調達する時点で,企業は投資決定しているのです。投資決定は,資金調達に先行する意思決定です。このことは図4-1に示されています。

企業の投資決定は資金調達に影響します。もちろん,利益還元や配当政策にも影響します。投資決定は,コーポレート・ファイナンスにおける中心的なテーマです。スムーズな資金の流れを作りだせるかどうかは,投資決定にかかっているといっても過言ではありません。

2 投資の価値はNPV

(1) NPVとは何か

Ⅲ章で学んだように,期待キャッシュフローを資本コストで割り引いた現在価値が,ビジネスの成果です。ビジネスを実施するかどうかは,成果とコストを比較して決めます。ビジネスの成果はキャッシュフローの現在価

値です。コストはビジネスに必要な実物投資です。このコストを投資コストとよびましょう。

ビジネスの成果と投資コストの差額を**正味現在価値**といいます。正味現在価値はNet Present Valueの訳です。NPVと覚えてください。NPVは、ビジネスの成果であるキャッシュフローの現在価値から、投資コストを引いた金額です。

(正味現在価値:NPV)
= (キャッシュフローの現在価値) − (投資コスト) (4-1)

図4-2は、NPVについてまとめたものです。図中、PVは現在価値を意味します。

投資コストは、現時点におけるキャッシュ・アウトフローです。キャッシュ・アウトフローをマイナスのキャッシュフローと考えましょう。NPVは、ビジネスに関するすべてのキャッシュフローの現在価値であるともいえます。

(正味現在価値:NPV)
= (すべてのキャッシュフローの現在価値) (4-2)

NPVがプラスであれば、ビジネスの成果がコストを上回ります。投資は価値を生みますから、実施するのが正しい判断になります。NPVがマイナスであれば、ビ

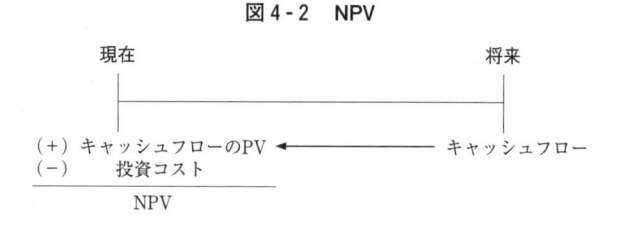

図4-2　NPV

```
     現在                              将来
     ├──────────────────────────────────┤
(+) キャッシュフローのPV  ←────── キャッシュフロー
(−)    投資コスト
          NPV
```

図4-3　NPVと投資判断

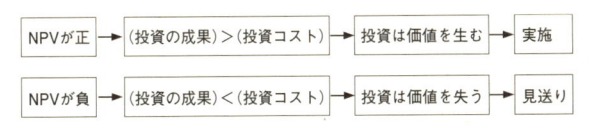

```
NPVが正 → (投資の成果)＞(投資コスト) → 投資は価値を生む → 実施

NPVが負 → (投資の成果)＜(投資コスト) → 投資は価値を失う → 見送り
```

ジネスの成果はコストをカバーできません。投資は価値を失いますから，見送るのが正しい判断です。図4-3は，この関係についてまとめています。

(2) 投資決定とDCF法

キャッシュフローの現在価値を求める手続きは，DCF法とよばれます。DCF法について復習しておきましょう。PVは現在価値，CFはキャッシュフローを意味します。

$$PV = \frac{期待CF}{1+金利+リスク・プレミアム}$$
$$= \frac{期待CF}{1+資本コスト} \quad (4\text{-}3)$$

DCF法は，割引率に金利を含んでいるため時間的要素を考慮しています。また，リスク・プレミアムを含んでいるため，キャッシュフローのリスクを考慮しています。不確実な将来のキャッシュフローを，リスクと時間を考慮に入れて，きちんと評価する手続きがDCF法です。

NPVはDCF法をベースにした指標です。時間とリスクがきちんと評価されています。DCF法の割引率は，資金提供者が期待する収益率です。企業にとっては，資

本コストになります。ＮＰＶは資本コストを意識した投資決定の指標です。

3　プロジェクトを行うかどうか決定する

(1) プロジェクトＸ

　コーポレート・ファイナンスでは，投資の対象を投資案件や投資プロジェクト，あるいは単にプロジェクトといいます。ビジネスでもいいのですが，以下では慣習にしたがってプロジェクトという言葉を使いましょう。

　カフェ・スタンドのビジネスを始めてから１年が経過しました。この１年は景気の回復もあり，ビジネスはうまくいきました。経済的な成功に加え，ビジネス・ノウハウを蓄積しました。そこで，カフェ・スタンドより規模の大きいカフェ店舗をオープンするプロジェクトを検討し始めました。このプロジェクトをプロジェクトＸとよびましょう。プロジェクトＸは１年間のプロジェクトです。

　プロジェクトＸを実施するには店舗が必要です。ショッピング・モールの空き店舗を借りて，カフェをオープンすることにしました。投資コストは，店舗の改装費と機材の購入費です。１年間のプロジェクトですから，投資コストも低く抑える必要があります。改装は簡単に済ませ，機材の購入費も節約します。合計1,000万円で足りそうです。

　ビジネスの見通しですが，やはり景気の変動に左右されます。景気は回復基調にあるものの力強さはなく，次年度が好況か不況かは定かでありません。エコノミスト

Ⅳ 企業の投資行動はどう決まるか

表 4-1 プロジェクト X の収支プラン

	好況 (1/2)	不況 (1/2)	平均
平均来客数	300人	300人	—
顧客単価	400円	300円	—
営業日数	300日	300日	—
売上：キャッシュ・インフロー	3,600万円	2,700万円	3,150万円
原材料費	1,200万円	900万円	—
店舗賃貸料	200万円	200万円	—
人件費	900万円	700万円	—
支出：キャッシュ・アウトフロー	2,300万円	1,800万円	2,050万円
売上－支出：キャッシュフロー	1,300万円	900万円	1,100万円

の意見も分かれています。好況が1/2，不況が1/2というのが客観的な見方でしょう。

表4-1は，プロジェクトXの収支プランをまとめたものです。1日当たりの平均来客数，顧客単価，そして営業日数を掛け合わせると売上が計算できます。売上はキャッシュ・インフローです。原材料費，店舗の賃貸料，人件費はキャッシュ・アウトフローです。両者の差額が，プロジェクトのキャッシュフローになります（ここでは税金は考えません）。キャッシュフローは景気の影響を受けます。最後の列には，平均値が記載されています。プロジェクトXの期待キャッシュフローは，1,100万円になります。

このセクションでは，プロジェクトXを実施するか見送るかの意思決定を考えます。1つのプロジェクトに関する投資決定がテーマです。

(2) NPV法

NPV法（正味現在価値法）は，NPVの符号で投資を決定します。「NPVがプラスであればプロジェクトを実施し，マイナスであればプロジェクトを見送る」という投資決定基準です。コーポレート・ファイナンスは，NPV法を推奨します。

(3) プロジェクトXの資本コストを推計する

NPV法では，キャッシュフローの現在価値を求める必要があります。そのためには，割引率である資本コストを推計しなければなりません。未上場企業の場合，株式はマーケットで取引されていません。類似企業の情報を用いるなど工夫が必要です。

資本コストを推計するため，K大学のファイナンス研究室を訪れました。そこでは，同業の上場企業をピックアップし，参考企業としてデータを分析してくれます。分析の結果，次のことが分かりました。

全国的にカフェを展開している上場企業（参考企業）の過去5年間の株式ベータは0.8，時価ベースの負債比率は0.5，日経平均とTOPIXの過去の平均収益率は14％です。現在の金利は4％に低下しています。マーケット・ポートフォリオのリスク・プレミアムは，10％と推定できます。参考企業の格付けは高く，財務的に健全な企業といえそうです。

参考企業の資本コストを求めましょう。まず，株式の資本コストを推計します。CAPMによると，

（株式のコスト）＝（金利）
＋ β（マーケット・ポートフォリオのリスク・プレミアム）

でした。それぞれに数値を代入すると、株式の資本コストは、

$4 + 0.8(10) = 12\%$

になります。

次に、総資本コストを求めます。総資本コストの公式は次の通りです。

(総資本コスト) = (負債比率)(負債のコスト)
　　　　　　　 + (株主資本比率)(株式のコスト)

それぞれの数値を代入しましょう。財務的に健全な企業ですから、負債のコストは金利4％とみなせます。負債比率は0.5、株主資本比率も0.5、株式のコストは12％です。参考企業の総資本コストは、

$(0.5)(4) + (0.5)(12) = 8\%$

と推計されます。

(4) プロジェクトXのNPVを求める

プロジェクトXの資本コストとして、参考企業の総資本コストを用いましょう。プロジェクトの期待キャッシュフローは1,100万円、投資コストは1,000万円です。(4-1)式より、プロジェクトXのNPVは、次のように計算されます。

$$\mathrm{NPV} = \frac{1,100}{1.08} - 1,000 = 19$$

NPVがプラスですから、このプロジェクトは価値を生みます。NPV法によると、プロジェクトを実施することになります。

(5) 資本コストの上昇とNPVの低下

プロジェクトXの準備に追われ1カ月が過ぎました。ある日，視察の目的を兼ねて，近隣のカフェで休憩していたところ，日本経済新聞の記事が目にとまりました。NY市場の株価下落を受けて，株式市場で投資家のリスク回避傾向が強まり，機関投資家が期待するマーケットのリスク・プレミアムが20％に上昇した，という内容です。

マーケットのリスク・プレミアムは，資本コストに影響します。マーケット・ポートフォリオのリスク・プレミアムを20％にすると，参考企業の株式のコストは20％，総資本コストは12％になりました。みなさんも確かめてください。資本コストを12％として，プロジェクトXのNPVを計算してみましょう。

$$NPV = \frac{1,100}{1.12} - 1,000 = -18$$

NPVがマイナスになりますから，プロジェクトXを見送るのが正しい判断になります。

(6) 会計利益とNPV

上の例から，2つのレッスンを学びましょう。第1のレッスンは，「期待的に利益がでるプロジェクトでもNPVはマイナスになることがある」ということです。

プロジェクトXの期待利益は，期待キャッシュフロー1,100万円と投資コスト1,000万円の差額100万円です。この値は資本コストに影響されません。会計的な利益は資本コストを考慮していないのです。一方，NPVは資本コストを考慮します。両者の相違が，会計利益はプラ

ス，ＮＰＶはマイナスというねじれを引き起こします。コーポレート・ファイナンスでは，資本コストを考慮するＮＰＶを推奨します。

(7) 資本コストとＮＰＶ

第２のレッスンは，「ＮＰＶの符号は資本コストに影響される」ことです。

資本コストが８％のとき，プロジェクトＸのＮＰＶはプラスでした。資本コストが12％に上昇すると，ＮＰＶはマイナスになります。短期間で資本コストが大きく変わることは，めったにありません。ただし，株式市場の動向によっては，資本コストが変わる可能性もあります。資本コストの推計は，定期的にアップ・デートするのが好ましいでしょう。Ⅱ章で紹介した大阪ガスの事例でも，１年後に資本コストを再計算するということでした。

(8) ＮＰＶプロファイル

表４-２は，プロジェクトＸの資本コストとＮＰＶの関係についてまとめたものです。資本コストが10％よ

表４-２　ＮＰＶと資本コスト

資本コスト（割引率）	ＮＰＶ	投資決定（ＮＰＶ法）
８％	19万円	実施
９％	９万円	実施
10％	０	無差別
11％	－９万円	見送り
12％	－18万円	見送り

図4-4 プロジェクトXのNPVプロファイル

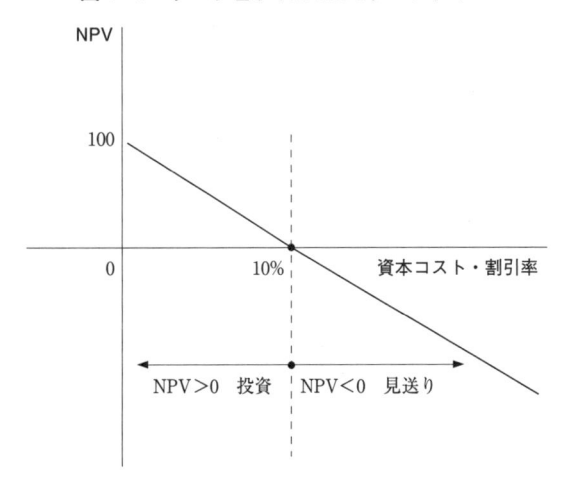

```
NPV
 |
100
 |
 |
 0 ─────────┼────── 資本コスト・割引率
           10%
    ←──────┼──────→
   NPV>0 投資 | NPV<0 見送り
```

り低ければ，プロジェクトXのNPVはプラスになります。投資は実施されます。資本コストが10％より高ければ，NPVはマイナスになります。投資は見送られます。資本コストが10％のとき，NPVはゼロになります。投資を実施することと見送ることが無差別になります。

図4-4は，NPVと資本コストの関係を図示したものです。NPVプロファイルとよばれます。資本コスト10％の近辺において，NPVの符号は資本コストに対して敏感です。例えば，資本コストが10.1であればNPVはマイナスになります。資本コストが9.9であればNPVはプラスです。資本コストが8％や12％の近辺では，0.1％の誤差は意思決定に影響しません。

(9) NPV法と適正な資本コスト

NPV法では、適正な資本コストを用いることが重要です。適正な資本コストとは、プロジェクトのリスクに見合った資本コストという意味です。とくに、現在の事業と異なるビジネスに進出する際には、注意が必要です。

電力会社が、社内ベンチャー事業を立ち上げるケースを考えましょう。現在営んでいる電力事業は、非常に安定的であり、資本コストは5％だとしましょう。電力事業の資本コスト5％を割引率に用いて計算したところ、ベンチャー事業のNPVはプラスになりました。NPV法にしたがって、ベンチャー事業を推進することに決めました。この判断は正しいでしょうか。

答えはNOです。ベンチャー事業のビジネス・リスクは、電力業より大きいと考えられます。リスクが大きい分、資本コストは高くなります。現在の事業と異なるリスクをもつプロジェクトを評価する際には、プロジェクトのリスクに見合う資本コストを用いるべきです。

ベンチャー事業のリスクに見合う資本コストは20％だとしましょう。資本コスト20％を用いて計算すると、NPVはマイナスになりました。ベンチャー事業は、見送るのが正解です。

新しいプロジェクトを評価する場合、プロジェクトのリスクに見合う適正な資本コストを用いることが大切です。現状の企業活動に対する資本コストを用いると、判断を誤る可能性があります。上の例は、価値を失うプロジェクトを実施するという誤りです。リスクの小さい事業を営む企業が、リスクの大きい新規プロジェクトを評価するときに犯しやすい誤りです。

逆に，価値を生み出すプロジェクトを見送ってしまう誤りもあります。リスクの大きい事業を営む企業が，リスクの小さい新規プロジェクトを評価するときに犯しやすい誤りです。

(10) 内部収益率（IRR）

NPVを計算するには，プロジェクトの資本コストを推計する必要があります。これに対して，内部収益率は，企業内で作成される収支プランのみで計算できます。内部収益率は，Internal Rate of Returnの訳です。IRRとよばれます。簡単にいうと，IRRは投資の収益率です。

$$IRR = \frac{(期待CF)-(投資コスト)}{投資コスト}$$
$$= \frac{期待CF}{投資コスト} - 1$$

プロジェクトXの場合，期待キャッシュフローは1,100万円，投資コストは1,000万円です。プロジェクトXのIRRは，10％になります。

もう一度，表4-2を見てください。IRR＝10％という値は，NPVがゼロになる割引率です。NPVがゼロになる割引率をIRRと定義することもあります。

IRRの情報だけで投資決定することを考えましょう。IRRが10％のプロジェクトXを実施すべきでしょうか，見送るべきでしょうか。これだけでは，意思決定できそうにありません。

IRRを投資の意思決定に用いる際には，ハードル・レートが必要になります。IRRがハードル・レートを

上回れば，プロジェクトを実施します。下回れば，プロジェクトを見送ります。株主重視の企業経営という観点から適切なハードル・レートは，資本コストです。プロジェクトのIRRが，資本コストを上回ることが期待できれば，投資を実施します。IRRが資本コストを下回る見込みであれば投資を見送ります。この意思決定ルールをIRR法といいます。

単独のプロジェクトの採否について，IRR法とNPV法の意思決定は，たいていの場合一致します。ただし，複雑な意思決定では，両者が一致しないこともあります。コーポレート・ファイナンスは，NPV法を推奨します。

(11) EVAとNPVの関係

Ⅰ章で紹介したEVA（Economic Value Added）について，NPVとの関係を中心に解説しましょう。EVAは，アメリカのスターン・スチュワート社の登録商標で，経済付加価値と訳されます。わが国でも，2000年ごろからEVAが普及し始めました。いち早くEVAを導入した企業には，花王，HOYA，オリックス，ソニーなどがあります。

簡単にいうと，EVAは，1期間のキャッシュフローから資本コストの額を控除した値です。資本コストの額は，投資コストに（1＋資本コスト〈％〉）をかけて求めます。EVAは，企業が1期間に生み出した付加価値の金額といえます。

表4-3は，プロジェクトXのEVAについてまとめたものです。投資コストは1,000万円，資本コストが8％ですから，資本コストの金額は1,080万円です。

表4-3 プロジェクトXのEVA

	好況（1/2）	不況（1/2）	平均
キャッシュフロー	1,300万円	900万円	1,100万円
資本コスト（額）	1,080万円	1,080万円	1,080万円
EVA	220万円	-180万円	20万円

この例から分かるように、EVAは1年間の金額です。EVAを現在価値に換算しましょう。期待EVA20万円を資本コスト8％で割り引きます。EVAの現在価値は、19万円になります。この値は、プロジェクトXのNPVにほかなりません。

EVAの現在価値はNPVに一致します。両者は実質的に同じ指標です。NPVは期間を限定しませんが、EVAは1期間（通常は1年間）を対象にします。実践向きといえるかもしれませんが、企業の目的が短期的になりかねません。

(12) NPVと株主価値

NPVは企業のビジネスが生み出す価値です。原材料費、人件費、負債の元利、株主が期待するリターン、すべてが考慮されています。NPVがプラスであるとは、株主を含めたすべての利害関係者に支払うべきものを支払った後、お釣りがくるということです。このお釣りは誰のものでしょうか。

答えは株主です。株主は、利益配分を受ける順序が最後ですが、残ったものはすべてもらえます。もちろん、株主の順番になったとき、何も残っていないこともあります。企業のビジネスが成功すれば大きな資産価値を手

Ⅳ 企業の投資行動はどう決まるか

にするが、失敗してゼロになる可能性もある。それが株主です。

プロジェクトXで考えましょう。図4-5は、プロジェクトXと株主価値の推移を時価ベースの貸借対照表で表したものです。当初、株主が200万円を出資しています。プロジェクトXが実施されるまで、200万円は現金勘定です（図中①）。これまでのビジネスで培ったノウハウのおかげで、プロジェクトXを実施する機会に恵まれました。投資コストは1,000万円必要です。不足額800万円を負債調達しましょう。金利は4％ですから、1年後に元利合計832万円を返済する必要があります。1年後のキャッシュフローは、不況でも900万円ですから、負債の元利は返済できます。

図中②は、資金調達が終了した時点における貸借対照表です。企業の資産価値は、プロジェクトXが生み出すキャッシュフローの現在価値です。期待キャッシュフロー1,100万円を資本コスト8％で割り引くと、1,019万円になります。負債の部には、負債調達した800万円が記入されます。貸借対照表はバランスしますから、219万円が株主資本の価値になります。株主価値の増分19万円は、ＮＰＶに相当します。

プロジェクトXが採択された時点で、ＮＰＶは株主価値に反映されます。株主価値は、プロジェクトのＮＰＶだけ増加します。ＮＰＶがプラスのプロジェクトは、株主にとって有益なプロジェクトです。

図中③は、好況時の貸借対照表です。キャッシュフロー1,300万円のうち、債権者に元利832万円が支払われます。残り468万円が株主の受取り額です。プロジェク

図4-5 プロジェクトXと株主価値

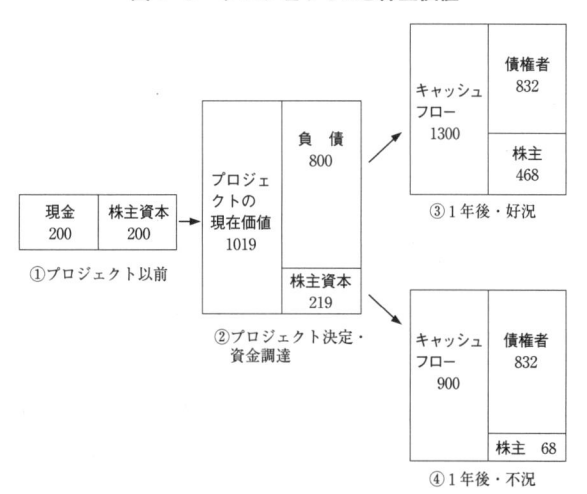

①プロジェクト以前：現金200、株主資本200

②プロジェクト決定・資金調達：プロジェクトの現在価値1019、負債800、株主資本219

③1年後・好況：キャッシュフロー1300、債権者832、株主468

④1年後・不況：キャッシュフロー900、債権者832、株主68

トが成功すると，株主の資産価値は2倍以上になります。

図中④は，不況時の貸借対照表です。キャッシュフロー900万円のうち，債権者に元利832万円が支払われます。株主の受取り額は68万円になります。プロジェクトが失敗すると，株主の資産価値は減少します。

プラスのNPVをもつプロジェクトを実施したからといって，つねに株主が儲かるわけではありません。ビジネス・リスクがある限り，株主は損することもあります。

4 プロジェクトに順位をつける

(1) NPVとIRRによる順位づけ

これまでは，1つのプロジェクトについて考えました。

Ⅳ 企業の投資行動はどう決まるか

表4-4 2つのプロジェクトのIRRとNPV

	プロジェクトA	プロジェクトB
投資コスト	−100	−200
1年後の期待CF	+110	+218
IRR	10%	9%
NPV（7%）	3	4

このセクションでは，複数のプロジェクトの順位づけについて学びます。

2つのプロジェクトの順位づけについて考えましょう。表4-4を見てください。プロジェクトAとプロジェクトBの投資コストと1年後の期待キャッシュフローが記されています。

プロジェクトの内部収益率IRRは簡単に計算できます。プロジェクトAが10％，プロジェクトBが9％です。プロジェクトAの方が，IRRは高くなります。

2つのプロジェクトのリスクは等しく，適正な資本コストは7％だとします。プロジェクトのNPVを計算すると，プロジェクトAは3，プロジェクトBは4になります。みなさんも確認してください。プロジェクトBの方が，NPVは大きくなります。

この例から分かるように，IRRによる順位とNPVによる順位は，異なる場合があります。コーポレート・ファイナンスでは，NPVによる順位を優先します。大きな付加価値を生むプロジェクトを高く評価するのです。

図 4-6　2年間のプロジェクトのNPV

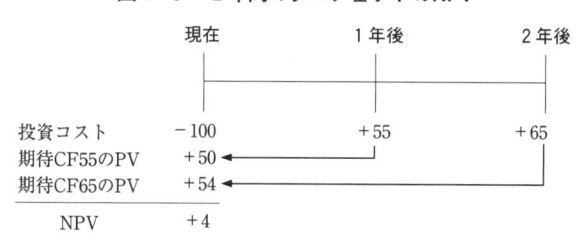

	現在	1年後	2年後
投資コスト	−100	+55	+65
期待CF55のPV	+50 ←		
期待CF65のPV	+54 ←		
NPV	+4		

(2) 2年間のプロジェクトのNPV

投資成果が2年間にわたる図4-6のプロジェクトを考えましょう。投資コストは100，1年後と2年後の期待キャッシュフローは，それぞれ55と65です。資本コストは10％とします。図中CFはキャッシュフロー，PVは現在価値を表します。

1年後の期待キャッシュフローの現在価値は50です。2年後の期待キャッシュフローの現在価値は54です。資本コストで2回割り引くことに注意してください。

プロジェクトのNPVは，すべてのキャッシュフローの現在価値を合計したものです。計算すると＋4になります。NPVがプラスですから，このプロジェクトは価値をもちます。企業はプロジェクトを実施します。

(3) NPVと回収期間による順位づけ

今度は表4-5にある2つのプロジェクトの順位づけについて考えましょう。プロジェクトSは1年間で成果がでる短期的なプロジェクトです。プロジェクトLは，2年間にわたって成果がでる長期的なプロジェクトです。

Ⅳ 企業の投資行動はどう決まるか

表4-5 2つのプロジェクトの回収期間とNPV

	プロジェクトS	プロジェクトL
投資コスト	－100	－100
1年後の期待CF	110	60
2年後の期待CF	0	60
回収期間	1年	2年
NPV	ゼロ	4

投資成果が複数年にわたるプロジェクトを評価する指標として、回収期間（Payback Period）があります。文字どおり、投資コストを何年で回収できるかを表します。プロジェクトSの回収期間は1年です。プロジェクトLは2年です。プロジェクトSの方が、投資コストを早く回収できます。

2つのプロジェクトのNPVを計算してみましょう。資本コストは10％とします。プロジェクトSのNPVはゼロです。プロジェクトLのNPVは4になります。確認してください。NPVで判断すると、プロジェクトLの方が高く評価されます。

回収期間は分かりやすい考え方です。かつては、多くの企業が回収期間を基準に投資決定していました。ただし、回収期間には金利やリスク・プレミアムが反映されていません。資本コストを考慮していない指標といえます。

5 リアル・オプション

(1) リアル・オプションとは何か

企業のプロジェクトには，状況に応じて規模を拡大したり縮小したりする選択肢があります。また，プロジェクトの開始を延期したり，途中で撤退したりする選択肢もあります。選択肢のことをオプション（Option）といいます。実物投資に関するオプションをリアル・オプ

C O F F E E B R E A K
──わが国企業の投資決定基準について──

学生：先ほどの講義で，アメリカでは，ほとんどの大企業がDCF法を導入していると話されましたが，日本ではどうなのですか。

先生：わが国でも，DCF法を採用する企業が増えています。ただし，アメリカと比較すると，まだまだ少ないですね。

学生：DCF法を採用していない企業は，どのような基準で投資決定しているのですか。

先生：回収期間法やIRR法を使っている企業が多いですね。また，DCF法と回収期間法を併用している企業もあります。いくつかのアンケート調査を時系列的に並べてみると，DCF法が増加し，回収期間法などは減少している傾向が読み取れます。

学生：どのような企業がDCF法を採用しているのでしょうか。

先生：海外企業との接点が多い企業ですね。海外企業を説得するためには，DCF法やNPV法を用いたプランを提示する必要があります。相手企業のスタンダードですからね。

学生：具体的な事例があれば教えてください。

先生：この前の日経産業新聞（2003年1月24日）には，

ションといいます。リアルは実物投資（Real Investment）や実物資産（Real Assets）からきています。

オプションには価値があります。たいていの場合，選べることはよいことです。選択肢が増えてイヤな気がするのは，試験の選択問題くらいでしょうか。

投資決定におけるリアル・オプション分析は，プロジェクトに内在する選択肢をきちんと評価しようとする試みです。リアル・オプションは，プロジェクトの柔軟性

日本のエンジニアリング会社が，インドネシアの液化天然ガスのプラント建設を受注する戦略として，ＤＣＦ法やＮＰＶ法を前面に出して売り込んでいく，という記事が載っていました。この会社は，自社の提案の優位性を数値で示し，説得力を増すための道具としてＤＣＦ法を位置づけているそうです。

学生：そのほかにもありますか。

先生：医薬品業界の中堅企業が，新薬のタネをＤＣＦ法で評価して，新薬未来資産価値を算出し，海外メーカーとの提携に活用している事例もあります。

学生：わが国企業の投資決定基準の傾向として，ＤＣＦ法やＮＰＶ法が増加しつつあると言われましたが，このトレンドは今後も続いていくのでしょうか。

先生：そう思います。株主重視の意識が浸透しつつありますし，経営のグローバル化も進んでいます。また，ＭＢＡ教育も普及してきましたからね。

学生：ＭＢＡですか。

先生：ＭＢＡのファイナンスの講義では，ＤＣＦ法やＮＰＶ法が優れていると教えます。ですから，ＭＢＡホルダーの人数が増えるにつれ，ＤＣＦやＮＰＶが普及するというわけです。アメリカがそうでした。

学生：最近では，リアル・オプションという手法もあると聞きますが，どういうものですか。

先生：よく知っていますね。感心します。リアル・オプションについては，次の講義でお話しします。

ともいわれます。なんでもかんでも計画通りに進めるのではなく，状況に応じて柔軟な対応をしていくという意味です。このセクションでは，近年脚光を浴びつつあるリアル・オプションについて紹介します。

(2) プロジェクトY

簡単なケースでリアル・オプションの考え方を理解しましょう。カフェ・ビジネスには，1年間のプロジェクトXに加え，2年間のプロジェクトYがあります。プロジェクトXのプランは先に述べたとおりです。

プロジェクトYでは，2年間カフェを経営します。その分，最初の投資コストは1,300万円と多めになります。また，1年たった時点で，店舗と機材のメンテナンス費用が500万円必要になります。1年目の収支プランはプロジェクトXと同じです。好況ならばキャッシュフローは1,300万円，不況ならば900万円です。期待キャッシュフローは，1,100万円になります。

経済状態は少なくとも2年間は続きそうです。景気回復が鮮明になり，1年目が好況なら2年目も好況が続きます。好況の場合，2年目のキャッシュフローは，1年目と同じ1,300万円です。

景気が減速し始め不況になると，2年目も不況が続きます。不況が続くと，2年目は客足が遠のきそうです。1日当たりの来客数が落ち込むため，売上は厳しい数字になります。原材料費や人件費の削減に努めますが，それでもキャッシュフローは400万円にしかなりません。2年目の期待キャッシュフローは850万円です。

Ⅳ 企業の投資行動はどう決まるか

表4-6 プロジェクトYの収支プラン

	好況（1/2）	不況（1/2）	平均
投資コスト	−1,300	−1,300	−1,300
1年後のCF	1,300	900	1,100
メンテナンス・コスト	−500	−500	−500
2年後のCF	1,300	400	850

表4-6には，プロジェクトYの収支プランがまとめられています。プロジェクトYの資本コストは，プロジェクトXと同じ8％とします。

(3) プロジェクトYのNPVを求める

プロジェクトYのNPVを求めましょう。図4-7は，プロジェクトYの期待キャッシュフローとコストを図示したものです。

図4-7 プロジェクトYの期待キャッシュフローとコスト

```
現在              1年後                2年後
|————————————————|————————————————|
```

投資コスト −1,300　メンテナンス・コスト −500
　　　　　　　　　期待CF +1,100　　　期待CF +850

NPVは，すべてのキャッシュフローの現在価値の合計です。1年後のメンテナンス・コストも現在価値に直す必要があります。NPVの計算は，下記のようになります。

$$NPV(Y) = -1,300 + \frac{1,100}{1.08} - \frac{500}{1.08} + \frac{850}{(1.08)^2}$$
$$= -16$$

上式の中で,（-500/1.08）がメンテナンス・コストの現在価値です。NPVがマイナスですから,このままだとプロジェクトYは見送るという判断になります。

(4) リアル・オプションを取り入れる

リアル・オプションを考慮すると,プロジェクトYの評価は上がります。リアル・オプションは,プロジェクトの途中で規模を拡大・縮小したり,撤退したりする選択肢です。プロジェクトYの場合,1年後にリアル・オプションがあります。状況に応じた柔軟な対応を取り入れましょう。

1年後が好況の場合を考えます。メンテナンス・コスト500万円を投資すると,2年目に1,300万円のキャッシュフローがもたらされます。これは問題なさそうです。

次に,不況の場合を考えましょう。メンテナンス・コ

図4-8 リアル・オプションを取り入れたプロジェクトYのスキーム

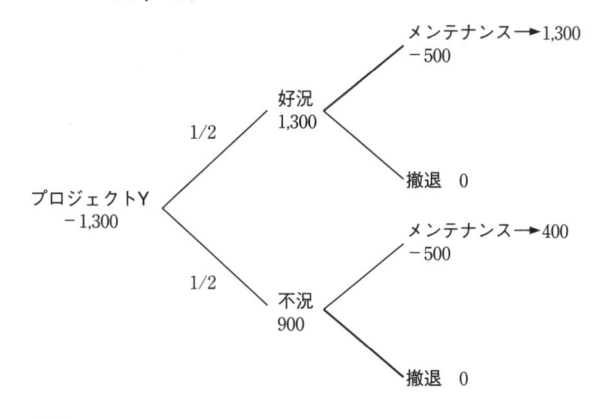

```
                                    メンテナンス→1,300
                                    -500
                        好況
                        1,300
                 1/2
                                    撤退  0
プロジェクトY
  -1,300
                                    メンテナンス→400
                 1/2                -500
                        不況
                        900
                                    撤退  0
```

スト500万円を投資しても、2年目のキャッシュフローは400万円です。これでは、メンテナンスする意味がありません。プロジェクトを継続するより、撤退した方がよいでしょう。

図4-8は、プロジェクトYのスキームを好況、不況に分けて書いたものです。プロジェクトYには、1年後に撤退するオプションが含まれています。好況ならばプロジェクトを継続し、不況ならば撤退する。柔軟な意思決定ですね。

(5) リアル・オプションの価値

リアル・オプションを取り入れて、プロジェクトYを再評価しましょう。表4-7を見てください。投資コストと1年後のキャッシュフローは、これまでどおりです。1年目が好況であれば、メンテナンス・コストを支払って、カフェを続けます。2年後には1,300万円のキャッシュフローが実現します。不況であれば撤退です。メンテナンス・コストはゼロ、2年後のキャッシュフローもゼロになります。

表4-7 リアル・オプションを取り入れたプロジェクトYの収支プラン

	好況 (1/2)	不況 (1/2)	平均	現在価値
投資コスト	－1,300	－1,300	－1,300	－1,300
1年後のＣＦ	1,300	900	1,100	1,019
メンテナンス	－500	ゼロ	－250	－232
2年後のＣＦ	1,300	ゼロ	650	557
合計	－	－	－	44

表4-7の第4列は、リアル・オプションを考慮したキャッシュフローの平均です。最後の列は、資本コストを8％として、それぞれの現在価値を求めたものです。すべての現在価値を合計すると44万円になります。

リアル・オプションを考慮すると、プロジェクトYの評価は44万円になります。リアル・オプションの価値は、44万円とリアル・オプションを考慮しない評価額 − 16万円の差額60万円になります。

(6) リアル・オプションと投資決定

リアル・オプションを取り入れるかどうかで投資の意思決定が変わります。上のケースでは、リアル・オプションを取り入れると、プロジェクトYは実施されます。取り入れないと見送られます。

プロジェクト間の順位もリアル・オプションの影響を受けます。表4-8は、プロジェクトXとYを比較したものです。リアル・オプションを取り入れると、プロジェクトYの方が価値は高くなります。リアル・オプションを考えなければ、プロジェクトXの価値が高くなります。どちらか一方のみを選択する場合、リアル・オプションが意思決定に影響します。

表4-8 プロジェクトXとプロジェクトYの順位

	プロジェクトの価値
プロジェクトX	19
プロジェクトY：オプションなし	− 16
プロジェクトY：オプションあり	44

(7) どんなケースで有効か

次に紹介する記事は，"*REAL OPTIONS*" という著書もあるコープランド（Copeland）教授へのインタビュー記事です。

大規模工場の建設や企業の合併・買収（M&A）など投資活動のリスクが高まるなか，経営者の直感に頼りがちだった投資決定に新たな尺度を求める企業が増えている。経営者はいかに長期的な視点を持ちながらリスクを回避し，投資判断をすればいいのか。最新の投資分析手法の動向を交え，専門家に日本企業の投資判断がどうあるべきかを聞いた。

――米国企業と日本企業では，投資の是非を判断する際の手法は違うのか。

「現在，米国企業の約9割がNPV・DCF法を投資評価に活用している。日本企業の中でも，大規模プロジェクトを手掛ける大手商社や金融機関を中心に広がりつつある。米国でNPV・DCF法に代わる新しい判断基準として注目を集めているのがリアル・オプション分析だ。デューク大学の教授が米国の上場企業4000社を対象に実施した調査では，27％の企業が導入していた。」

――リアル・オプションはNPVとどう違うのか。

「プロジェクトに投資するかを判断するマネジャーには本来，計画を実行した後に様々なオプション（選択権）がある。計画が軌道に乗ってきたら投資規模を拡大するというオプションがあるし，計画がうまく進

まない時には投資規模を縮小したり撤退したりするオプションもある。リアル・オプション分析はこうした計画の柔軟性まで考慮した投資尺度で，ＮＰＶ法より有益だ。」

——なぜ，リアル・オプションが注目されるのか。

「リアル・オプションにいち早く着目したのは，米エクソンやテキサコなどの石油会社だ。石油輸出国機構（ＯＰＥＣ）の勢力拡大もあって，1970年代ごろから石油業界の事業環境は不確実性を増した。投資計画の先行きに対する不確実性が高いほど，リアル・オプション分析で導かれる計画の評価値とＮＰＶ法による値との差は大きくなる。多くの産業でビジネス環境が変化していることが，リアル・オプションへの注目度を高めている。」

［中　略］

——日本の経営者にも，うまく使いこなすことができるだろうか。

「欧州エアバスは投資計画の意思決定ツール（道具）としてリアル・オプションを採用しているが，導入に当たっては社員教育でたいへん苦労した。リアル・オプションの有効性を社内の多くの人に理解してもらう必要があるからで，それには企業トップの支援がいる。」

（出所：日経産業新聞，2001年8月22日）

リアル・オプションの意思決定をするのは企業です。撤退すべきときは撤退し，拡大すべきときは拡大する。選択肢に面したときに意思決定がきちんとできるなら

ば，リアル・オプションは有効に機能し，価値をもつと考えられます。

　一般的に，プロジェクトの期間が長いほど，選択肢の数は多くなります。また，プロジェクトを取り巻く環境が不確実なほど，意思決定の柔軟性は価値をもちます。リアル・オプション分析は，長期間にわたる研究開発の評価や，不確実性が大きいベンチャー企業の評価に適しているといわれています。

[V]
企業の資金調達

- 企業の投資決定は，資金調達に影響します。NPVがプラスのプロジェクトは，資金調達ができます。NPVがマイナスのプロジェクトは，資金調達ができません。
- 資金調達方法は，プロジェクトの価値や投資決定に影響しません。
- 法人税やデフォルトの影響を考慮しなければ，企業価値は資本構成と無関連です。MMの無関連命題として知られています。
- 負債の税効果とデフォルト・コストを同時に考慮すると，企業価値を最大にする最適な資本構成が見つかります。

1 企業の資金調達と投資行動

Ⅳ章で述べたように,企業は資金調達する段階で投資決定を済ませ,資金の使途を決めています。投資決定や資金の使途が疑問であれば,投資家は資金を提供しません。投資決定は資金調達に影響します。

この章では,逆を考えます。資金調達は投資決定に影響するか。また,資金調達方法によって,プロジェクトの評価や企業価値は変わるか。みなさんの直感はいかがでしょうか。

(1) マイナスのNPVをもつプロジェクトと株主価値

Ⅳ章では,プラスのNPVをもつプロジェクトXについて考えました。図4-5を思い出してください。プロジェクトの採択が決まった時点で,株主価値はNPVの分だけ増加します。

ここでは,マイナスのNPVをもつプロジェクトZについて考えましょう。図5-1を見てください。当初,株主資本が200万円あり,不足額800万円を金利4％で負債調達します。1年後のキャッシュフローは850万円以上ありますから,負債の元利は返済できます。負債の時価は800万円です。プロジェクトの現在価値は950万円ですから,プロジェクトが採択されると,株主価値は150万円に減少します。図5-1には,この様子が描かれています。負債調達すると,株主がマイナスのNPVの分だけ損をします。

V 企業の資金調達

図5-1 負のNPVをもつプロジェクトZと資金調達

	好況 (1/2)	不況 (1/2)	平均
プロジェクトZのCF	1,200	850	1,025

・投資コスト1,000万円，資本コスト8％

・プロジェクトのPV $= \dfrac{1,025}{1.08} =$ 950万円

・NPV＝プロジェクトのPV －投資コスト＝ 950 － 1,000 ＝ － 50万円

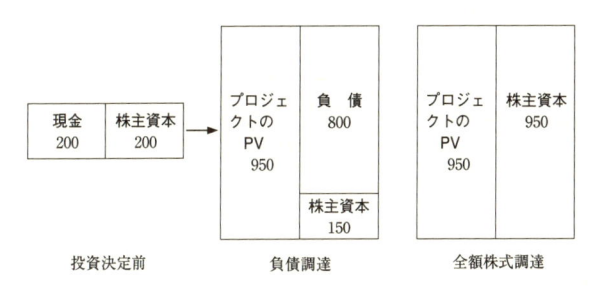

```
現金  株主資本       プロジェ   負 債       プロジェ   株主資本
200   200           クトの     800         クトの     950
                   PV                    PV
                   950                   950
                         株主資本
                         150

投資決定前          負債調達               全額株式調達
```

(2) NPVと株主価値の推移

表5-1は，プロジェクトXとプロジェクトZが実施される場合の株主価値の推移です。プロジェクトXの欄が示すように，NPVがプラスであっても，不況になれば株主は損をします。このことは，プロジェクトの実施を妨げないことに注意してください。

株主は，リスクがあることを承知して，資金を提供します。企業は，リスクの原因である不確実性（好況や不況）をコントロールできません。好況になるか不況になるかは，企業の管轄外です。経済が不況になり，株主価値が下落しても，そのすべてが企業の責任ではありません。

企業の責任は，不確実性が解消される事前の段階で，

表 5-1　プロジェクトXとプロジェクトZにおける株主価値の推移

	NPV	投資決定前	投資決定後	1年後
プロジェクトX	19	200 →	219	468（好況） / 68（不況）
プロジェクトZ	-50	200 →	150	468（好況） / 18（不況）

NPVがマイナスのプロジェクトを選択することにあります。企業は，プロジェクトを実施するか見送るかをコントロールできます。

NPVがマイナスのプロジェクトを実施すると，株主価値が一度も増加しないことがあります。プロジェクトZの株主価値の推移を見てください。当初200万円だった株主価値は，プロジェクトが採択された時点で150万円に減少します。1年後不況になれば，株主価値はさらに減少し18万円になります。一度も当初の価値を上回ることなく，終わってしまいました。これでは，株主は満足しません。

NPVがプラスの場合，少なくとも1度は株主価値が増加します。プロジェクトXの推移を見てください。プロジェクトの採択が決定した時点で，株主価値は増加します。この時点で株式を売ると，株主はキャピタル・ゲイン（株式売却益）を得ます。株式を売るか売らないかは，株主の判断です。企業は責任を果たしているといえます。

(3) 投資決定と資金調達

図5-1には、プロジェクトZの投資コスト全額が株式調達される場合も示されています。仮に、株式発行で1,000万円が調達できたとしましょう。プロジェクトの現在価値は950万円ですから、資金調達が終了した直後に、株主価値は減少します。株主はわずかな期間で損をします。プロジェクトの収支プランと資本コストの情報があれば、このことは予想できます。株主が資金調達に応じることはありません。

ＮＰＶがマイナスのプロジェクトは資金が調達できません。無理に資金調達しようとしても、損失を恐れる株主からストップがかかります。ＮＰＶがマイナスのプロジェクトを行うという投資決定は、資金調達の時点で挫折すると考えられます。逆に、ＮＰＶがプラスのプロジェクトは、スムーズな資金調達ができます。このように、企業の投資決定は、資金調達ができるかどうかに影響します。

資金調達の方法についてはどうでしょうか。ＮＰＶがプラスのプロジェクトXは、負債調達と株式調達が可能です。マイナスのＮＰＶをもつプロジェクトZの場合、負債調達も株式調達もできません。負債調達はできるかもしれませんが、株主が反対します。

まとめておきましょう。ＮＰＶがプラスのプロジェクトは、資金調達の方法によらず資金が調達できます。ＮＰＶがマイナスのプロジェクトは、どのような方法をとるにせよ、資金調達ができません。

⑷ 資金調達の方法と投資決定

　資金調達の方法は投資決定に影響するでしょうか。ＮＰＶ法によると，投資決定はＮＰＶの大きさによって決まります。したがって，この問いは，資金調達の方法がＮＰＶの大きさに影響するでしょうか，といいかえることができます。

　プロジェクトのＮＰＶを決める要因について，順次みていきましょう。ＮＰＶを決める要因は，投資コスト，期待キャッシュフロー，そして資本コストです。

　まず，投資コストは，資金調達方法に関係がありません。プロジェクトＸとＺの場合，1,000万円を用意しなければ，ビジネスが開始できません。

　次に，期待キャッシュフローです。これも資金調達方法と関係なく決まります。プロジェクトＸの場合，株式調達であれ負債調達であれ，期待キャッシュフローは1,100万円です。プロジェクトＺの場合は1,050万円です。

　最後に，資本コストです。資本コストは資金調達方法に影響されるか。答えはＮＯです。資本コストは，ビジネス・リスクによって決まります。ビジネス・リスクは，キャッシュフローの変動によるリスクです。キャッシュフローは資産から生まれます。したがって，ビジネス・リスクは資産がもたらすリスクです。ビジネス・リスクと資本コストは，資金調達の方法に影響されません。

　企業の資金調達方法はプロジェクトの価値に影響しないことが，分かっていただけたでしょうか。プロジェクトＸのＮＰＶは，資金調達の方法によらず19万円です。プロジェクトＺのＮＰＶは，資金調達の方法によらず－50万円です。

2　資本構成と企業価値

(1) 資産内容と資本構成と企業価値

　企業の資本構成（Capital Structure）は，負債比率や株主資本比率で表されます。負債が多い企業は，負債比率が高くなります。負債が少ない企業は，負債比率が低くなります。資本構成は，企業活動に使用されている資金が，どのように調達されたかについて教えてくれます。

　資金調達方法を資本構成に，プロジェクトの価値を企業価値におきかえましょう。先ほどの議論を応用すると，「企業価値は資本構成と無関連である」という結論が導けます。

　企業の価値は，企業活動が生み出すキャッシュフローの現在価値です。将来の期待キャッシュフローを，適正な資本コストWACCで割り引いた値です。

$$企業価値 = \frac{将来の期待キャッシュフロー}{1 + WACC}$$

　将来のキャッシュフローは，企業が保有する有形・無形の資産から生まれます。分子は企業の資産内容で決まります。総資本コストは，ビジネス・リスクに応じて決まります。ビジネス・リスクは，キャッシュフローの変動によるリスクです。分母も企業の資産内容で決まります。

　企業価値を決めるのは資産です。資本構成は影響しません。

(2) MMの無関連命題

「企業価値は資本構成と無関連である」このことを最初に主張したのは、ノーベル経済学賞を受賞したモジリアーニ（Modgliani）教授とミラー（Miller）教授です。2人の頭文字をとってMMの無関連命題とよばれます。

オリジナルなMM命題の証明では、マーケットにおける裁定取引の機能が活躍します。裁定取引とは、割高なものを売って割安なものを買う取引です。簡単に紹介しておきましょう。

図5-2を見てください。同じ資産内容をもつ2つの企業の時価ベースの貸借対照表です。コーポレート・ファイナンスでは、負債利用の程度や負債比率のことをレバレッジといいます。レバレッジについては、後で説明します。

負債をもつ企業はレバレッジがある企業です。英語ではLevered Firmですから、企業Lとよびます。ここでは、企業Lは社債を発行しているとします。負債をもたない企業は、レバレッジのない企業です。英語ではUnlevered Firmですから、企業Uとよびます。企業U

図5-2 企業価値と資本構成

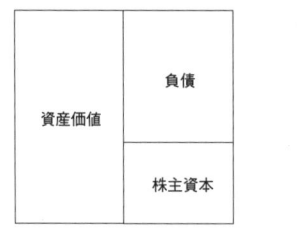

| 資産価値 | 負債 |
| | 株主資本 |

企業L＝負債＋株主資本

| 資産価値 | 株主資本 |

企業U＝株主資本のみ

と企業Lは資産内容が同じですから，将来のキャッシュフローは等しくなります。

仮に，現時点におけるマーケットの評価が（企業U）＞（企業L）になっているとしましょう。2つの企業は，1年後に同じキャッシュフローを生み出します。1年後には，必ず（企業U）＝（企業L）になります。現時点で2つの企業を比較すると，企業Uは割高，企業Lは割安になっています。賢明な投資家は，現時点で割高な企業Uの株式を売って，割安な企業Lの株式と社債を買う裁定取引を行うでしょう。裁定取引は，（企業U）＝（企業L）になるまで続きます。

逆に，現時点におけるマーケットの評価が（企業U）＜（企業L）だとしましょう。1年後には，必ず（企業U）＝（企業L）になります。現時点で企業Uは割安，企業Lは割高です。賢明な投資家は，割高な企業Lの株式と社債を売って，割安な企業Uの株式を買います。この裁定取引は，（企業U）＝（企業L）になるまで続きます。

投資家の裁定取引が機能することで，資産内容が同じ企業Lと企業Uの評価は等しくなります。資産内容が同じであれば，資本構成によらず，企業の価値は等しくなります。

みなさんの直感はいかがでしたか。資金調達の方法がプロジェクトや企業の価値に影響しないと思われた方は，ノーベル経済学者と同じ学術的な直感をおもちです。資金調達の方法がプロジェクトや企業価値に影響すると思われた方は，現実的な感覚をおもちです。MMの無関連命題が成り立つ条件を現実的な方向に修正すると，資金調達の方法が企業価値に影響する可能性があるからで

す。このトピックについては，後に解説します。

(3) レバレッジと株式のリスク

　企業Lと企業Uは，負債比率が異なります。コーポレート・ファイナンスでは，負債比率をレバレッジ（Leverage）やファイナンシャル・レバレッジ（Financial Leverage）といいます。負債をレバレッジということもあります。レバレッジは，もともと「てこ」という意味です。

　2つの企業は資産内容が同じですから，ビジネス・リスクは等しくなります。ビジネス・リスクはレバレッジの影響を受けません。レバレッジの影響を受けるのは，株式のリスクです。

　負債がある企業Lでは，キャッシュフローの安定的な部分が負債の元利として支払われます。株主は，残りのリスキーな部分を受け取ります。負債がない企業Uは，債権者への支払いがありません。株主は，安定的な部分とリスキーな部分を受け取ります。安定的な部分を含むため，企業Uの株主が負担するリスクは，企業Lに比べて小さいといえます。

　図5-3は，2つの企業の株式収益率のイメージを描いたものです。リスクが小さい企業Uの株式は，好況時と不況時の変動が小さくなります。リスクが大きい企業Lの株式は，変動が大きくなります。企業Lは負債をもつ企業です。負債という「てこ」を利用することで，株式の収益率が大きく変動します。このように，株式のリスクはレバレッジに影響されます。

図5-3　企業Lと企業Uの株式の収益率

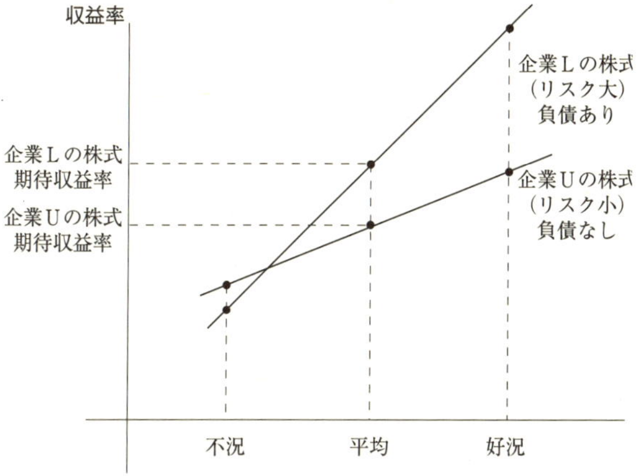
収益率
企業Lの株式
(リスク大)
負債あり
企業Lの株式
期待収益率
企業Uの株式
(リスク小)
負債なし
企業Uの株式
期待収益率
不況
平均
好況

(4)　ファイナンシャル・リスク

企業Uは，負債がない株主資本100％の企業です。株主が負担するリスクは，企業のビジネス・リスクになります。

株式リスクが大きい企業Lの株主は，ビジネス・リスクより大きいリスクを負担します。ビジネス・リスクを超える部分は，負債の利用がもたらすリスクです。これをファイナンシャル・リスクといいます。

(企業Uの株式リスク)＝(ビジネス・リスク)
(企業Lの株式リスク)＝(ビジネス・リスク)
＋(ファイナンシャル・リスク)

企業Lと企業Uのビジネス・リスクは等しいことに注意してください。ビジネス・リスクは等しくても，負債を利用する企業の株式リスクは大きくなります。

(5) レバレッジと株式のリターン

再び，図5-3を見てください。リスクが大きいことを反映して，企業Lの株式のリターン（期待収益率）は，企業Uより高くなります。ハイリスク・ハイリターンの原則です。負債という「てこ」を利用すると，株式のリターンは高くなります。リスクが大きくなるためです。

企業Uの株式リターンは，金利とビジネス・リスクに対するリスク・プレミアムの和です。企業Lの株式リターンには，さらにファイナンシャル・リスクに対するリスク・プレミアムが追加されます。

（企業Uの株式リターン）
　＝（金利）＋（ビジネス・リスク・プレミアム）
（企業Lの株式リターン）
　＝（金利）＋（ビジネス・リスク・プレミアム）
　　＋（ファイナンシャル・リスク・プレミアム）

(6) レバレッジと資本コスト

投資家が期待するリターンは，企業にとって資本コストです。上の説明から分かるように，負債がある企業Lの株式のコストは，負債がない企業Uより高くなります。図5-4には，企業Lと企業Uの資本コストが描かれています。横軸はリスクです。右上の点は企業Lの株式のコストです。まん中の点は企業Uの株式のコストです。企業Uは株主資本100％ですから，株式のコストは総資本コスト（WACC）に一致します。2つの企業は等しいビジネス・リスクをもちますから，企業UのWACCは企業LのWACCでもあります。左下の点は負債のコスト，すなわち金利です。

図5-4 企業Uと企業Lの資本コスト

資本コスト(期待収益率)

- 企業Lの株式コスト
- ファイナンシャル・リスク・プレミアム
- 企業Uと企業LのWACC
- 企業Uの株式コスト
- ビジネス・リスク・プレミアム
- 負債のコスト
- 金利

横軸：企業のビジネス・リスク　企業Lの株式リスク

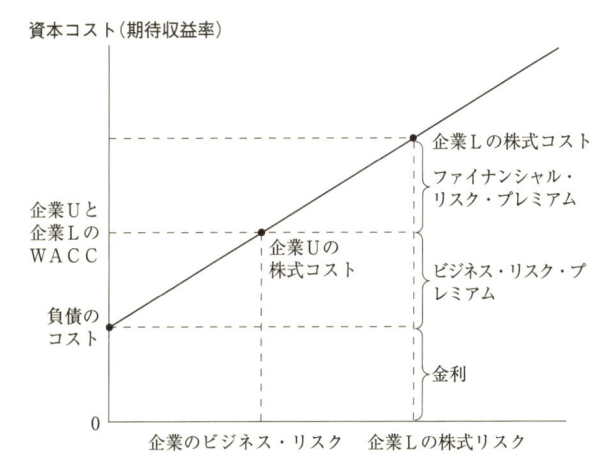

　企業Uの株式のコストは，金利とビジネス・リスク・プレミアムの和です。企業Lの株式のコストには，ファイナンシャル・リスク・プレミアムが追加されます。

　一般的に，レバレッジが高いほど，ファイナンシャル・リスクは大きくなり，株式の資本コストも高くなります。

(7) 負債がない企業の企業ベータと株式ベータ

　レバレッジ（負債比率）と資本コストの関係について，数値例で確認しておきましょう。CAPMの復習にもなります。

　過去のデータを分析した結果，企業Uの株式ベータは1.2，マーケットの期待収益率は14％と推計されました。現在の金利は4％です。マーケットのリスク・プレミア

ムは10％になります。CAPMによると，

(株式の期待収益率)
= (金利) + β (マーケットのリスク・プレミアム)

です。それぞれの数値を代入すると，企業Uの株式のコストは16％になります。企業Uは負債をもちませんから，株式のコストはWACCに一致します。

CAPMによると，株式のリスク指標は株式ベータでした。これに対して，ビジネス・リスクの指標は，企業ベータとよばれます。負債がない企業Uでは，株式リスクとビジネス・リスクが一致します。したがって，企業ベータは株式ベータに等しく，1.2となります。

表5-2の企業Uの列を見てください。企業ベータとWACC，株式ベータ，株式の資本コストがまとめられています。

(8) 負債がある企業の企業ベータと株式ベータ

次に，負債がある企業Lについて考えましょう。企業Lの負債比率は0.5とします。ビジネス・リスクが等しいため，企業Lの企業ベータとWACCは，企業Uに一致します。企業ベータは1.2，WACCは16％です。

企業Lの株式のコストは，WACCの公式から求めることができます。

(WACC) = (負債比率)(負債のコスト)
　　　　+ (株主資本比率)(株式のコスト)

上の式に，WACC = 16％，負債比率 = 株主資本比率 = 0.5，負債のコスト = 金利4％を代入して，株式のコストを計算します。企業Lの株式のコストは28％になります。

V 企業の資金調達

表5-2 企業Uと企業Lの企業ベータと株式ベータ

	企業L	企業U
レバレッジ（負債比率）	0.5	ゼロ
企業ベータ	1.2	1.2
WACC	16%	16%
株式ベータ	2.4	1.2
株式の資本コスト	28%	16%
株式のリスク・プレミアム	24%	12%

企業Lの株式ベータをCAPMから求めましょう。株式のコスト，すなわち期待収益率は28％になることが分かりました。金利は4％，マーケットのリスク・プレミアムは10％です。CAPMによると，企業Lの株式について，次の式が成り立ちます。

$28 = 4 + \beta(10)$

これを解くと $\beta = 2.4$ になります。企業Lの株式ベータは2.4です。表5-2の企業Lの列には，これらの結果がまとめられています。企業Lの株式ベータは企業Uの2倍です。このことを反映して，株式のリスク・プレミアムも2倍になっています。

3 法人税とデフォルト・コスト

MMの無関連命題は，いくつかの前提の下に成り立ちます。例えば，法人税やデフォルト・コストは考慮しない，企業と投資家は情報を共有する（インサイダー情報はない）などです。このセクションでは，法人税とデフ

ォルト・コストを取り入れます。法人税とデフォルト・コストを考慮すると,資本構成は企業価値に影響します。

(1) 法人税の効果

法人税を考慮すると,株主と債権者に配分されるのは,税引き後キャッシュフローになります。企業活動が生み出したキャッシュフローから法人税を控除したものが,税引き後キャッシュフローです。

住宅ローンが減税の対象になるように,企業の負債も減税の対象になります。正確にいうと,負債の利息が法人税の課税対象から控除されます。資産内容とキャッシュフローが等しくても,負債がある企業の税引き後キャッシュフローは,負債がない企業より大きくなります。これを**負債の税効果**とよびましょう。負債比率が高いほど,負債の税効果は大きくなります。税引き後キャッシ

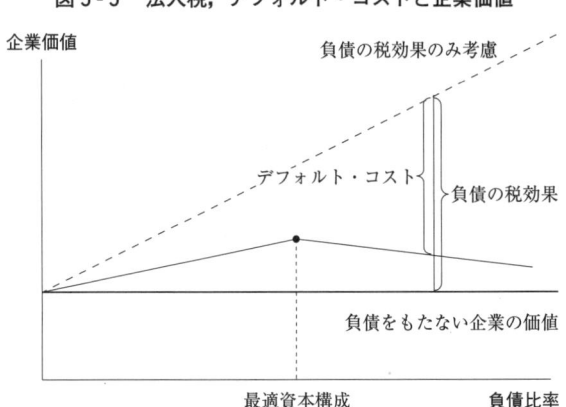

図 5-5 法人税,デフォルト・コストと企業価値

企業価値

負債の税効果のみ考慮

デフォルト・コスト

負債の税効果

負債をもたない企業の価値

最適資本構成　　　　　負債比率

ュフローは増加し,企業価値も高まります。

図5-5に描かれた右上がりの破線は,負債の税効果のみを考慮した場合の企業価値です。企業価値が最も高くなるのは,税効果が最も大きくなる負債比率100%の場合です。図中,水平の破線は,負債をもたない場合の企業価値です。

税引き後キャッシュフローの増加は,ビジネスが貢献したものではないことに注意してください。税制を利用して,政府に支払う法人税を節約した効果です。

(2) デフォルト・コストの影響

法人税を考慮することは現実的です。しかし,負債比率100%が最も好ましいというのは,非現実的です。現実的な要因であるデフォルト・コストを取り入れて,より現実的な結果を導きましょう。

企業が過度の負債利用を避ける大きな理由は,デフォルト・コストです。ビジネス環境が悪化し,キャッシュフローが落ち込むと,多額の負債をもつ企業は,元本や利息の支払いが滞るリスクに直面します。元本や利息が支払えなければ,デフォルト(債務不履行)です。デフォルトを起こせば,銀行取引が制限され,運転資金の確保が困難になります。取引先は取引条件を厳しくし,アフターサービスの低下を嫌って顧客離れが起こります。従業員のモチベーションも低下するでしょう。これらの諸要因は,企業のキャッシュフローを減少させます。デフォルトに関するコストといえるでしょう。

法的整理(倒産や破産)に追い込まれると,追加的なコストが必要になります。例えば,法的手続きや債権者

との交渉に必要な法的費用や事務経費があります。負債を返済するため,優良な資産を安値で手放すこともコストと考えられます。

デフォルトに関するコストをデフォルト・コストといいます。デフォルト・コストは,企業価値を低下させます。デフォルト・コストによる企業価値の低下は,デフォルトに陥る可能性が大きい企業ほど深刻です。

デフォルト・リスクがあるとき,負債の資本コストは,金利より高くなります。デフォルト・リスクを判断する指標として,格付けがあります。格付けが高い企業は,デフォルトのリスクが小さく,負債のコストは低くなります。格付けが低い企業は,デフォルトのリスクが大きく,負債のコストは高くなります。

負債の利用は,税効果を通じて,企業価値を高める長所があります。同時に,デフォルト・コストによって,企業価値が減少する短所もあわせもちます。

(3) 最適な資本構成

税効果とデフォルト・コストを同時に考慮すると,企業価値が最大になる負債比率が見つかりそうです。企業価値を最大にする負債比率を,**最適資本構成**とよびましょう。

負債比率が100%に近づくと,デフォルトの可能性は加速度的に大きくなります。このとき,デフォルト・コストによるマイナスの影響は,税効果によるプラスの影響を上回ります。負債比率を低下させ,デフォルト・コストの影響を小さくすると,企業価値は高まります。

負債比率が十分低いとき,デフォルトの可能性は小さ

く，デフォルト・コストも軽微になります。このとき，負債の税効果によるプラスの影響は，デフォルト・コストによるマイナスの影響を上回ります。負債比率を上昇させると，負債の税効果が威力を発揮し，企業価値が高くなります。

最適資本構成は，次の特徴をもつ負債比率です。それより負債比率を高くすると，デフォルト・コストの短所が顕在化し，企業価値が低下します。それより負債比率を低くすると，税効果の長所が小さくなり，企業価値が低下します。最適資本構成は，例えば図5-5に描かれているポイントです。

法人税とデフォルト・コストを考慮する場合，企業やプロジェクトの評価は，税引き後キャッシュフローの現在価値から，デフォルト・コストの現在価値を引いた値になります。基本的な考え方はこれまでと変わりませんが，プロセスは複雑になります。興味のある方は，巻末で紹介する中級以上のテキストを見てください。

(4) デフォルト・コストと企業の資本構成

法人税率は一律ですから，負債の税効果は企業間で大きな差がありません。一方，デフォルト・コストの影響は，企業間でばらつきがあります。収益が安定している企業は，デフォルトに陥る可能性が小さいといえます。このような企業は，負債の税効果を重視して，高い負債比率を選択するでしょう。電力会社やガス会社が代表的な例です。

収益が不安定な企業や，短期間での現金化が難しい研究開発を必要とする企業は，デフォルトの可能性が大き

い企業です。デフォルトを回避するため，低い負債比率を選択すると考えられます。長期間にわたり，多額の研究開発費がかかる製薬会社がよい例です。企業間の競争が激しく，企業の参入・退出が頻繁な情報サービス業界も，このカテゴリに属するでしょう。

COFFEE BREAK
── 借金すると株価が上がる？ ──

アメリカの株式市場では，企業が負債比率を高めると，株価が上昇する事例が報告されています。借金した企業の株価が上がる？　日本では，負債に対するイメージがよくないので，不思議に思われる方が多いかもしれません。

この現象には，いくつかの説明が可能です。まず，最適資本構成の理論です。現状の負債比率が，最適資本構成のポイントより低いとき，負債比率を高めると企業価値が増加し，株価は上昇します。

次に，金融機関への信用です。金融機関は，融資を行うにあたり，企業の資産内容や収益性を精査します。その金融機関が資金を融資したのですから，企業の状態はよいはずです。市場はこのことを評価し，株価が上昇します。

企業が負債比率を高めるのは，デフォルトしない強い自信の表れであると考えることもできます。この場合，企業は資本構成の調整を通じて，市場にシグナルを発信しています。わが社は将来の業績に自信があるので負債比率を高めます，というわけです。将来が不安な企業は，デフォルトを恐れ，負債比率を高めることができません。負債比率の上昇を観察した市場は，企業の評価を高め，株価が上昇します。

4　資金調達の方法

(1) 企業の資金調達方法

図5-6を見てください。企業の資金調達方法は，大きく外部調達と内部調達に分けられます。外部資金調達は，負債調達（Debt Finance）と株式発行をともなうエクイティ・ファイナンス（Equity Finance）に分類できます。

負債調達した場合，企業は元本と利息を支払う義務があります。支払いが滞ればデフォルトです。負債調達の代表的な方法は，銀行借入れと社債調達です。銀行借入れでは，投資家（預金者）が，銀行を通じて企業に資金を提供します。このため，銀行借入れは間接金融に分類されます。社債調達は，投資家が企業の社債を直接購入するため，直接金融に分類されます。

エクイティ・ファイナンスの代表的な方法は，株式を発行して資金調達する株式調達です。株式調達した後，

図5-6　企業の資金調達方法

```
                  ┌ 外部資金調達
                  │   ●負債調達（Debt Finance）
                  │     銀行借入れ ──────────── 間接金融
                  │     社債調達        ┐
企業の資金調達 ──┤   ●エクイティ・ファイナンス │
                  │     （Equity Finance）       ├ 直接金融
                  │     株式調達        │
                  │     転換社債        ┘
                  │
                  └ 内部資金調達
                      ●残余利益
```

企業が株主に対して何かを支払う法的義務はありません。だからといって，株式調達のコストが安いと考えるのは間違いです。株主はビジネス・リスクやファイナンシャル・リスクを負担します。その分，株主は債権者より高いリターンを期待します。リスクに見合うリターンが期待できないと，株主は資金を提供しません。

株式調達のほかに，転換社債もエクイティ・ファイナンスに属します。転換社債は，当初は社債ですが，将来，株式に転換できる条項がついています。株式調達と転換社債は，直接金融に分類されます。

残余利益を株主に配当せず，来期以降の企業活動に用いることを**内部資金調達**といいます。残余利益を株主に配当するかどうかの意思決定は，次の章で取り上げる配当政策の問題です。

2000年代にはいり，**資産の証券化**が，新しい資金調達方法として脚光を浴びています。資産の証券化とは，特定の資産が生み出す将来のキャッシュフローを担保として社債を発行し，資金調達する方法です。

(2) 資本構成の調整

1990年代の後半以降，わが国企業は負債比率を低下させる傾向にあります。様々な要因が考えられますが，デフォルトに対する警戒感が強くなったことも一因でしょう。

借入金の返済や社債の繰上げ償還は，負債比率を低下させます。繰上げ償還とは，満期前に元本を返済することです。株式調達と負債返済の組み合わせは，株主資本比率を上昇させ,負債比率を低下させるのに効果的です。

V 企業の資金調達

　資産の証券化によって調達した資金を負債の返済に充てる企業もあります。

　負債調達は負債比率を高めます。自社株買い入れ消却も負債比率を高めます。自社株買いは，企業がマーケットに流通している自社株を買うことです。買い入れた自社株を消却すると，株式数と株主資本が減少し，負債比率が高まります。負債調達と自社株買いの組み合わせは，負債比率を高める効果的な財務戦略です。

　資本構成を調整するために，自社株買いを行った企業の例として，東燃ゼネラル石油があります。東燃ゼネラル石油は，2002年ごろ，借入金によって調達した資金を用いて，自社株買い入れ消却を行いました。その結果，負債比率が上昇しました。同社の負債比率が，最適資本構成より低いポイントにあったため，負債比率を高める戦略を実施したと考えられます。

　日銀の統計データによると，2002年4－6月期に，上場企業の株式による資金調達額が，ネットでマイナスになったそうです。資金調達額は，株式発行額から自社株消却額を差し引いた金額です。自社株買い入れ消却の増加が原因だと思われます。

　自社株買いは，資本構成を調整すると同時に，利益還元の方法でもあります。企業は，自社株の対価として，株主に現金を支払います。株主への現金支払いは，配当とみなせます。自社株買いについては，次の配当政策の章で詳しく説明します。

[VI]
企業の利益還元と配当政策

- 税金や取引コストを考慮しなければ，現金配当や自社株買いなどの配当政策は，株主価値に影響しません。MMの配当無関連命題が成り立ちます。
- 税金や取引コスト，情報の問題など現実的な諸要因を考慮すると，配当政策は株主価値に影響します。
- わが国企業の配当政策が変わりつつあります。

1 配当と株主価値

投資決定,資金調達,投資行動というプロセスを経て,企業活動の成果であるキャッシュフローが生み出されます。債権者への利息と元本を支払った残りは,株主に還元することが可能です。あるいは,企業内に留保して,来期の企業活動に利用することもできます。残余利益を株主に配当するかどうかは,配当政策の問題といわれます。

ここでは,配当政策と株主価値の関係について学びます。配当政策は株主価値に影響するでしょうか。株主は特定の配当政策を好むでしょうか。みなさんの直感はいかがですか。

(1) 現金配当について

現金配当とは,企業活動の成果を現金で株主に支払うことです。通常,配当といえば現金配当を指します。現金配当は,1株当たり何円(1株当たり配当金)と表示されます。わが国では,年1回期末配当を支払うか,あるいは中間配当と期末配当に分けて年2回配当を支払う企業がほとんどです。

3月を会計年度末とする企業の場合,期末配当は3月末の株主に対して支払われます。中間配当は中間決算期である9月末の株主に対して支払われます。ここでは,数値例を用いて,現金配当と株価の関係についてみていきましょう。

VI　企業の利益還元と配当政策

　プロジェクトXが成功してから10年の月日が流れました。カフェ・ビジネスは順調に拡大・成長し、いまでは多くのカフェ店舗とカフェ・スタンドを展開しています。昨年、株式上場も果たしました。多くの株主の期待に応えるべく、資本コストを意識した事業展開を心がけています。今年度は、上場してから最初の決算期です。

　企業の資産内容は、現金2億円と店舗、機器、ブランドなどです。現金を除く資産はすべて固定資産です。店舗や機器などは有形固定資産、ブランドは無形固定資産です。

　配当政策と株主価値の関係を調べるため、企業は現時点で負債をもたないとします。資本構成は、株主資本100％です。発行済み株式数は1,000株、現在の株価は1株100万円です。株主資本の時価総額は10億円（100万円×1,000株）になります。負債がありませんから、株主資本の時価総額と企業価値は等しくなります。

　企業価値10億円のうち、現金が2億円ありますから、固定資産の価値は8億円です。固定資産を活用したカフェ・ビジネスが、将来生み出すキャッシュフローの現在価値が8億円ということです。

　現金2億円は、これまでの企業活動の成果です。企業は2億円を現金配当として株主に還元することを決定しました。1株当たり20万円の配当です。

(2) 配当を受け取る権利

　上場企業の株式は、日々取引されています。株式の保有者である株主は、日々入れ替わります。配当を受け取ることができる株主は、配当を受け取る権利がある日の

図6-1 配当落ち日前後の企業価値

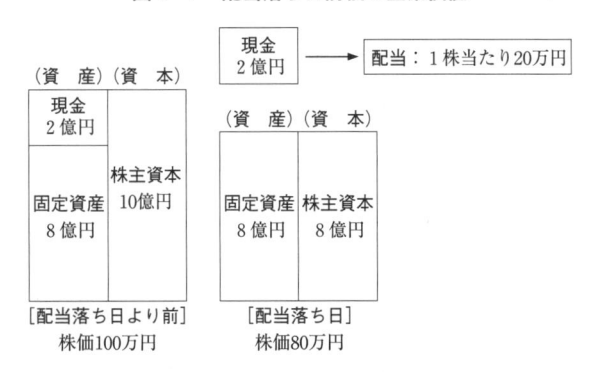

```
                    現金
                    2億円   ──→  配当：1株当たり20万円

(資 産)(資 本)
┌─────┬─────┐        (資 産)(資 本)
│ 現金 │     │        ┌─────┬─────┐
│ 2億円│     │        │     │     │
├─────┤株主資本│        │固定資産│株主資本│
│     │10億円│        │ 8億円│ 8億円│
│固定資産│     │        │     │     │
│ 8億円│     │        └─────┴─────┘
│     │     │
└─────┴─────┘

 [配当落ち日より前]         [配当落ち日]
   株価100万円              株価80万円
```

株主です。配当を受け取る権利が消失する日を、**配当落ち日**といいます。配当を受け取ることができるのは、配当落ち日の前日の株主です。

配当落ち日に企業の株式を1株購入した株主は、20万円の配当を受け取ることができません。株式はいくらで取引されるでしょうか。答えは80万円です。配当落ち日には、現金2億円の行き先が決まりますから、実質的な企業価値は、固定資産の8億円です。発行済み株式数は1,000株ですから、株価は80万円になります。

図6-1には、配当落ち日より前の貸借対照表と、配当落ち日の貸借対照表が描かれています。もちろん時価ベースです。

(3) 現金配当と株主価値

現金配当が決定される前、企業の株式を1株保有していた株主の資産価値は100万円です。現金配当が決まり、配当落ち日を迎えると、企業の株価は80万円になりま

Ⅵ 企業の利益還元と配当政策

表6-1 現金配当と株主価値

	配当前の株主価値	配当金	配当落ち株価	配当後の株主価値
配当なし	100万円	ゼロ	100万円	100万円
現金配当	100万円	20万円	80万円	100万円

す。下落した20万円分は、配当として受け取ることができますから、配当落ち日における株主の資産価値は、やはり100万円になります。現金配当は、株主価値に影響しません。

表6-1は、現金配当と株主価値について整理したものです。現金配当するか否かは株主価値に影響しません。

(4) 配当政策と投資決定

新店舗をオープンしたり、ブランチ・メニューを充実したりすることで、ビジネスを成長させる余地があります。これらのビジネス展開をまとめて、新規プロジェクトとよびましょう。新規プロジェクトのビジネス・プランを作成すると、投資コスト2億円、ＮＰＶは2,000万円になることが分かりました。

新規プロジェクトのビジネス・プランができたのは、総額2億円の現金配当を発表した後です。ビジネス・プランがもう少し早く完成していれば、2億円を配当せずに内部留保し、投資コストにまわすことができました。内部資金調達です。企業価値はＮＰＶの額だけ増加し、株価も上昇したでしょう。1株当たりのＮＰＶは2万円ですから、株価は102万円になったと考えられます。

現金配当を決定したため、投資コストが不足すると思

い込み，新規プロジェクトが見送られたとしましょう。このとき株主価値は100万円です。現金配当を実施したため，株主価値が2万円増加する機会を失ってしまいました。よって配当政策は株主価値に影響します。この結論は正しいでしょうか。

答えはNOです。内部資金調達ができなくても，企業には外部資金調達という手段があります。これまで説明してきたように，プラスのNPVをもつプロジェクトは資金調達ができます。大切なのは，プラスのNPVをもつプロジェクトを実施するという投資決定です。

(5) 配当政策と資金調達

新規プロジェクトに必要な投資コスト2億円を負債調達することにしましょう。固定資産の価値とプロジェクトからのキャッシュフローを考えると，負債の元利は確実に返済できます。外部資金調達により，現金配当とプロジェクトが同時に実現できました。企業の株式を1株保有する株主の資産価値を計算しましょう。

現金配当は1株当たり20万円です。配当落ち日までに負債調達が終了し，プロジェクトの準備が整いました。配当落ち株価は，プラスのNPVを織り込み82万円になります。2万円は1株当たりのNPVです。配当と株価を合計すると，株主価値は102万円になります。現金を配当せず，内部資金調達した場合と同じですね。

図6-2は，内部資金調達を選択した場合と現金配当＋負債調達の組み合わせを選択した場合の貸借対照表です。図中の新プロとは新規プロジェクトの略です。企業の資産内容は，新規プロジェクトと固定資産になりま

図6-2　有益なプロジェクトがある場合の配当政策と株主価値

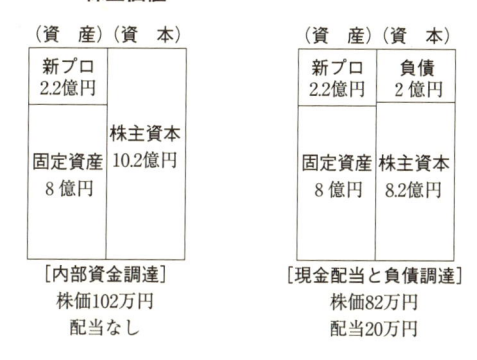

(資　産)	(資　本)
新プロ 2.2億円	株主資本 10.2億円
固定資産 8億円	

［内部資金調達］
株価102万円
配当なし

(資　産)	(資　本)
新プロ 2.2億円	負債 2億円
固定資産 8億円	株主資本 8.2億円

［現金配当と負債調達］
株価82万円
配当20万円

す。新規プロジェクトの現在価値は，投資コストとNPVの合計2.2億円です。

(6) 配当無関連命題

有益な新規プロジェクトがある場合でも，企業活動の成果を内部留保するか配当するかは，株主価値に影響しません。「株主価値は，配当政策と無関連である」このことを最初に主張したのは，またしてもノーベル経済学者のミラー（Miller）教授とモジリアーニ（Modgliani）教授です。MMの配当無関連命題とよばれることが多いようです。MMの配当無関連命題が成り立つならば，株主が特定の配当政策を好むことはありません。

配当無関連命題が成り立つとき，企業価値やプロジェクトの評価は配当政策に依存しません。配当政策は企業の投資決定に影響しないといえます。

逆に，投資決定は配当政策に影響します。株主に配当できる残余利益の額は，企業がどのプロジェクトを選択

するかという投資決定で決まります。投資決定が異なれば，キャッシュフローの金額も変わります。

みなさんの直感はいかがでしたか。配当政策が株主価値に影響しないと考えられた方は，優れた学術的直感をおもちです。一方，配当政策が株主価値に影響したり，株主が特定の配当政策を好んだりすると考えられた方は，現実的な感覚をおもちかもしれません。資本構成と同様に，現実的な要因を考慮すると，株主価値が配当政策によって変わることがあります。

2 現実的な諸要因と配当政策

(1) 取引コストと配当政策

配当無関連命題は，資本構成の無関連命題と同様に，いくつかの条件の下で成り立ちます。例えば，取引コストや税金の影響は考慮していません。取引コストや税金を考慮すると，異なる結果になりそうです。

取引コストとして外部資金調達のコストを考えましょう。株式や社債を発行して資金調達すると，証券会社に支払う手数料などの経費がかかります。時間もかかります。これらの取引コストは，株主価値を低下させます。配当を見送り内部資金調達にまわすと，取引コストは削減できます。

成長企業の中には,配当をしない無配企業があります。成長企業は，有益な投資プロジェクトをたくさんもっています。プロジェクトをすばやく実施するためには，時間がかかる外部資金調達より，内部資金の方が好ましい

といえます。外部資金調達の準備をしている間に、プロジェクトの機会が失われると困ります。外部資金調達に必要なコストを削減することもできます。

対照的に、成熟企業は配当による利益還元を積極的に進めるべきだという声があります。投資機会が少ない成熟企業は、内部資金を保有する理由が乏しいというのです。

マイクロソフトは、無配成長企業の代表でしたが、2003年度から配当支払いを始めました。同社の手元資金は、600億ドル（約7兆円）もあったそうです。手元資金が巨額になった理由は、企業規模が大きくなり、有益な投資機会が減少したためと考えられます。第一次の成長期を過ぎつつあるマイクロソフトは、現金配当による利益還元を重視し始めたようです。

(2) 税金と機関投資家の影響

税金を考慮すると、株主が受け取るのは、税引き後の配当であり、税引き後の株式売却額です。配当課税とキャピタル・ゲイン（株式売却益）課税が異なれば、配当政策によって、税引き後の受取り額も異なるでしょう。株主は、税引き後の手取り額が大きい配当政策を好みます。

マイクロソフトが、現金配当に踏み切った背景には、配当減税という税制の変更もあったようです。税金が配当政策に与える影響については、次の自社株買いのセクションでも解説します。

企業の配当政策は、機関投資家の株式保有基準にも影響されます。年金基金や投資信託などの機関投資家は、

無配企業の株式保有を敬遠する傾向があります。無配株は保有しないというルールをもつ機関投資家もあります。

機関投資家は，優れた企業分析能力をもっています。機関投資家に保有される株式は，市場の評価も高くなります。機関投資家に敬遠されることを嫌う企業は，資金を内部留保せず，配当することを選択します。

例えば，半導体最大手のインテルは，1992年から配当を続けています。1990年代のインテルは，売上成長率が年率25％という成長企業でした。同社が配当支払いを始めた理由は，無配株は保有しないというルールをもつ機関投資家が多かったためだといわれています。

(3) 配当シグナル仮説

配当を増やすことを増配，減らすことを減配といいます。配当無関連命題では，企業の配当政策が変更されても，株価には影響しません。現実の株式市場では，増配のニュースを受けて株価が上昇する傾向があります。減配のニュースが流れると，株価は下落します。

配当政策の変更は，企業の業績を反映している可能性があります。業績が予想以上に好調で，投資家の期待を上回る成果が実現すると確信したとき，企業は増配に踏み切ります。増配のニュースを知った投資家は，企業の評価を引き上げます。株価は上昇するでしょう。減配では，逆の現象が起こります。

配当政策が企業業績のシグナルになることから，このシナリオは，配当シグナル仮説とよばれます。配当シグナル仮説は，投資家が企業より情報をもたないことを前

提にします。投資家と企業が同じ情報をもつなら，増配や減配のニュースは，発表前に株価に織り込まれているはずです。

3 自社株買いと株主価値

(1) 自社株買いとは何か

自社株買いとは，企業が発行している自社株を株主から買うことです。その対価として，企業は株主に現金を支払います。自社株買いは，資本構成を調整する手段という見方もありますが，配当政策としてみる方が一般的でしょう。

アメリカでは，以前から自社株買いが活発に行われてきました。わが国では，1994年と1995年の法制度の改正によって，自社株買いが可能になりました。その後の規制緩和も追い風になり，いまでは企業の主要な財務政策として定着した感があります。自社株買いを積極的に行っている代表的な企業はトヨタ自動車です。トヨタ自動車は，毎年のように大規模な自社株買いを実施しています。

(2) 自社株買いと株主価値

企業が現金配当に代えて自社株買いを行う場合を考えましょう。自社株買いを決定する以前の株価は100万円です。

現在，企業は有益なプロジェクトをもたないとしましょう。企業は現金2億円で自社株を買います。自社株の購入価格は，1株当たり100万円，企業が買う株式は

200株になります。自社株買いを行った後に企業が保有する資産は，固定資産8億円です。自社株買いによって発行済み株式数は800株に減少します。自社株買い後の株価は100万円です。

企業の自社株買いに応じた株主は，保有していた株式を100万円で売却します。株主の資産価値は100万円です。自社株買いに応じなかった株主は，時価100万円の株式を保有しています。資産価値は100万円です。自社株買いは，株主価値に影響しません。

図6-3は，3つの配当政策と株主価値についてまとめたものです。配当しない場合，現金配当の場合，自社株買いの場合が描かれています。配当しない場合，株主の資産価値は100万円です。発行済み株式数は1,000株，企業の株式時価総額は10億円のままです。現金配当の場合，株主の資産価値は，配当金20万円と配当落ち株価80万円の合計100万円です。発行済み株式数は1,000

図6-3 配当政策と株主価値

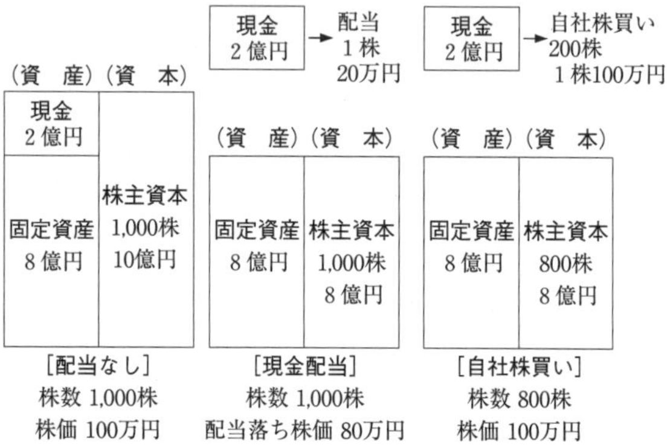

[配当なし]
株数 1,000株
株価 100万円

[現金配当]
株数 1,000株
配当落ち株価 80万円

[自社株買い]
株数 800株
株価 100万円

株です。自社株買いの場合，株主の資産価値は，やはり100万円です。ただし，発行済み株式数は減少します。

配当政策によって，企業の資産価値や発行済み株式数は変わります。しかし，どの配当政策を選択しても，株主の資産価値は変わりません。

(3) 税金と自社株シグナル仮説

企業が現金配当を選択すると，株主が支払う税金は配当課税です。自社株買いを選択すると，株主はキャピタル・ゲイン課税を支払います。配当課税とキャピタル・ゲイン課税の税率が異なれば，配当政策は株主価値に影響します。

2003年に新証券税制が導入される以前は，個人投資家にとって，キャピタル・ゲイン課税の方が配当課税より有利でした。税制だけを考慮すると，現金配当より自社株買いの方が好ましかったといえます。新証券税制の導入により，このような有利さはなくなりました。

自社株買いにもシグナル仮説があります。業績の好調さが株価に反映されておらず，自社株が割安であると判断したとき，企業は自社株を買います。業績の好調さが認められて株価が上昇すると，安く買った自社株は利益を生みます。

このシナリオによると，自社株買いは，企業の株価が割安であるシグナルとみなせます。自社株買いを発表した企業の株価は上昇します。

(4) 経営者不信と配当政策

　余剰資金をもちすぎると，企業の経営判断が甘くなるという指摘があります。企業がプラスのNPVをもつプロジェクトにのみ資金を利用するのであれば，問題はありません。しかし，企業の経営陣が，私的に資金を流用したり，過大な投資を行ったりする可能性もあります。過大な投資とは，本来行うべきでないマイナスのNPVをもつプロジェクトに資金を使うことです。手元資金が豊富だと，経営のプロでも緊張感が失われるのでしょうか。

　現金配当や自社株買いを実施すると，企業の手元資金が株主に配分されます。マーケットが，企業の資金使途に対して懐疑的なとき，現金配当や自社株買いは効果的なアピールになります。手元資金を配当してしまえば，私的な流用や過大な投資はできないからです。

　東京スタイルの事例は，このシナリオに当てはまりそうです。2001年から2002年にかけて，M＆Aコンサルティング社（村上世彰代表）は，東京スタイルの大株主になりました。東京スタイルは，総資産の7割にのぼる手元資金（現預金や有価証券）を保有していました。M＆Aコンサルティング社は，手元資金が多すぎると指摘し，増配や自社株買いによる株主への利益還元を要求しました。余剰な手元資金が，過大投資の温床になると警告したのでしょう。

　東京スタイルとM＆Aコンサルティング社の駆け引きは，新聞などでも報道され，よく知られています。最終的には，会社側が大株主の要求を一部聞き入れ，増配や自社株買いを実施しました。

4 配当政策の動向

(1) これまでの配当政策

　安定配当政策という言葉をご存じの方もいらっしゃると思います。毎期一定額の配当を安定的に支払う配当政策です。安定配当政策の下では，企業業績が多少変動しても，1株当たりの配当金は変わりません。かつてわが国では，多くの企業が安定配当政策をとっていました。

　安定配当政策と並んで，安定株主政策という言葉もよく知られています。長期的に株式を保有してくれる株主を安定株主といいます。企業間の株式持ち合いは，企業同士がお互いの安定株主になる仕組みです。

　安定株主政策と安定配当政策が長期間続くとどうなるでしょう。企業は毎期一定額の配当を支払うことに，株主は一定額の配当を受け取ることに慣れてしまいます。企業が株主に支払うのは安定的な配当である，という意識が無意識のうちに広がったとしても不思議ではありません。1990年代に実施されたアンケート調査によると，株式の資本コストは配当であると答えた企業が少なくありませんでした。これは誤解ですね。

　1株当たりの配当金を株価で割った値は，配当利回りといわれます。わが国では，1950年代以降，配当利回りが長期金利を下回る状態が続きました。配当が株式の資本コストならば，株式の投資収益率は，社債より低かったことになります。ビジネス・リスクとファイナンシャル・リスクを負担する株主のリターンが，それほど長期にわたり，債権者のリターンを下回ってよいはずがあ

りません。

株式の資本コストが金利より低い配当利回りだという誤解は,過大な投資を誘発するリスクをもちます。適正な資本コストが10％のときに,配当利回り2％を用いて投資決定を行うと,本来見送られるプロジェクトが採択されてしまいます。過大な投資が繰り返されると,企業業績が落ち込み,負債の返済もままならない事態になりかねません。まるで,1990年代のわが国企業をみているようです。

(2) 最近の配当政策

配当は,キャピタル・ゲインとともに,株主が受け取るリターンです。最近では,配当を増やす企業が増えています。長期金利の低下もあって,配当利回りが長期金利を上回ることもあります。

企業の配当政策も変わってきました。安定配当政策から,業績に応じて配当を支払う企業が増えてきました。自社株買いによって,機動的に利益還元を行う企業も増えています。

株主への配当は,現金配当と自社株買いだけではありません。株主優待は,企業が自社の製品やサービスを株主に配当する制度です。映画,外食,遊園地,ホテル,交通機関などの無料招待券や割引券などがあります。配当であると同時に,企業が自社の製品やサービスを株主にアピールする手段にもなります。そういえば,カフェの株主優待券が送られてきました。

5 まとめ

　投資家は，今後の企業活動と将来の利益還元を期待して，大切な資金を提供します。投資家への利益還元は配当政策が決めるのではないということに注意してください。現実的な要因を考えれば，配当政策も重要です。しかし，それ以上に重要なことは投資決定です。投資決定と資金使途を間違えると，どう転んでも投資家の期待に応えることができません。

　結局，コーポレート・ファイナンスで最も重要なことは，投資決定を誤らないということになりそうです。企業は,適正な資本コストを用いた投資決定を行うことで，投資家の期待に応えることができます。このとき，資金はスムーズに流れます。

ブックガイド

　この本は，コーポレート・ファイナンスの「入門書」です。コーポレート・ファイナンスに興味のある方が，1冊目に読む本です。次に読む本としては，大学の学部で使われている中級レベルのテキストがよいでしょう。いくつか紹介しておきます。

『現代の財務管理』榊原茂樹・菊池誠一・新井富雄著，有斐閣アルマ
『ビジネスゼミナール経営財務入門』井手正介・高橋文郎著，日本経済新聞社
『基礎からのコーポレート・ファイナンス』古川浩一・蜂谷豊彦・中里宗敬・今井潤一著，中央経済社
『ファイナンシャル・マネジメント』ロバート・ヒギンズ著・霍見芳浩監訳，ダイヤモンド社

　さらに学習したい方や，コーポレート・ファイナンスの専門家を志す方のために，分厚い上級テキストを2冊紹介しておきましょう。どちらも，欧米のMBAコースで使われている定評あるテキストです。原書を読むのもよいでしょう。

Brealey, R., and S. Myers, *Principles of Corporate Finance*, McGraw-Hill（『コーポレート・ファイナンス（上・下）』藤井眞理子・国枝繁樹監訳，日経BP社）

Damodaran, A., *Applied Corporate Finance*, New York, Wiley(『コーポレート・ファイナンス 戦略と応用』三浦良造・兼広崇明他訳,東洋経済新報社)

　本書では,リスクとリターンの関係やキャッシュフローについて,必要最小限の説明にとどめています。上で紹介した中級レベルや上級レベルのテキストでは,リスク・リターン関係やキャッシュフローについて,より詳しく説明されています。

　リスクとリターンの関係について深く知りたい方には,証券投資論のテキストも参考になると思います。数ある良書の中から,次の2冊を紹介しておきます。

『証券投資理論入門』大村敬一・俊野雅司著,日経文庫
『証券投資論』榊原茂樹・青山護・浅野幸弘著,日本経
　済新聞社

　キャッシュフローの計算や企業経営への活かし方については,次の本が参考になります。

『キャッシュフロー経営入門』中沢恵・池田和明著,日
　経文庫

　最後に,生きた教材として日本経済新聞をあげておきます。「投資・財務」面を中心に、現実社会におけるコーポレート・ファイナンスの動向が,日々紹介されています。

日経文庫案内 (1)

〈A〉 経済・金融

1 経済指標の読み方(上) 日本経済新聞社
2 経済指標の読み方(下) 日本経済新聞社
3 貿易の知識 小峰隆夫
5 外国為替の実務 三菱UFJリサーチ&コンサルティング
6 貿易為替用語辞典 東京リサーチインターナショナル
7 外国為替の知識 国際通貨研究所
8 金融用語辞典 深尾光洋
14 手形・小切手の常識 井上俊雄
15 生命保険の知識 ニッセイ基礎研究所
18 リースの知識 宮内義彦
19 株価の見方 日本経済新聞社
21 株式用語辞典 日本経済新聞社
22 債券取引の知識 堀之内・武
24 株式公開の知識 加藤・松野
28 EUの知識 藤井良広
30 不動産評価の知識 武田公夫
32 不動産用語辞典 日本不動産研究所
33 介護保険のしくみ 牛越博文
34 保険の知識 真屋尚生
35 クレジットカードの知識 水上宏明
37 環境経済入門 三橋規宏
38 デリバティブの知識 千保喜久夫
40 損害保険の知識 玉村勝彦
42 証券投資理論入門 大村・俊野
44 証券化の知識 大橋和彦
45 入門・貿易実務 椿弘次
46 PFIの知識 野田由美子
47 デフレとインフレ 内田真人
48 わかりやすい企業年金 久保知行
49 通貨を読む 滝田洋一
50 テクニカル分析入門 田中勝博
51 日本の年金 藤本健太郎
52 石油を読む 藤和彦
53 株式市場を読み解く 前田昌孝
54 商品取引入門 日本経済新聞社
55 日本の銀行 笹島勝人
56 デイトレード入門 廣重勝彦
57 有望株の選び方 鈴木一之
58 中国を知る 遊川和郎
59 株に強くなる 投資指標の読み方 日経マネー
60 信託の仕組み 井上聡
61 電子マネーがわかる 岡田仁志
62 株式先物入門 廣重勝彦

〈B〉 経営

9 経営計社画の立て方 神谷・森田
11 設備投資計画の立て方 久保田政純
13 研究開発マネジメント入門 今野浩一郎
17 現代の生産管理 小川英次
18 ジャスト・イン・タイム生産の実際 平野裕之
23 コストダウンのためのIE入門 岩坪友義
25 在庫管理の実際 平野裕之
28 リース取引の実際 森住祐治
30 会社のつくり方 成毛眞
32 人事マン入門 桐村晋次
34 人事管理入門 今野浩一郎
38 能力主義人事の手引 竹内裕
38 賃金決定の手引 笹島芳雄
38 人材育成の進め方 桐村晋次
41 目標管理の手引 金津健治
42 OJTの実際 寺澤弘忠
43 管理者のOJTの手引 寺澤弘忠
47 コンサルティング・セールスの実際 山口弘明
48 新入社員のための営業マン入門 山口裕
49 セールス・トーク入門 笠巻勝利
51 リサイクルの知識 萩原・指田
53 ISO9000の知識 中條武志
56 キャッシュフロー経営入門 中沢・池田
57 NPO入門 山内直人
58 M&A入門 北地・北乃
61 サプライチェーン経営入門 藤野直明
62 セクシュアル・ハラスメント対策 山田・舟山
63 クレーム対応の実際 中森・竹内
64 アウトソーシングの知識 妹尾雅夫
65 グループ経営の実際 寺澤直樹
66 人事アセスメント入門 二村英幸
68 人事・労務用語辞典 花見忠・日本労働研究機構

日経文庫案内 (2)

70	製品開発の知識	延岡 健太郎	
71	コンピテンシー活用の実際 相原 孝夫		
73	ISO14000入門	吉澤 正	
74	コンプライアンスの知識 髙 巖		
75	持株会社経営の実際	武藤 泰明	
76	人材マネジメント入門	守島 基博	
77	チームマネジメント	古川 久敬	
78	日本の経営	森 一夫	
79	IR戦略の実際	日本IR協議会	
80	パート・契約・派遣・請負の人材活用 佐藤 博樹		
81	知財マネジメント入門 米山・渡部		
82	CSR入門	岡本 享二	
83	成功するビジネスプラン 伊藤 良二		
84	企業経営入門	遠藤 功	
85	はじめてのプロジェクトマネジメント 近藤 哲生		
86	人事考課の実際	金津 健治	
87	TQM品質管理入門	山田 秀	
88	品質管理のための統計手法 永田 靖		
89	品質管理のためのカイゼン入門 山田 秀		
90	営業戦略の実際	北村 尚夫	
91	職務・役割主義の人事	長谷川 直紀	
92	バランス・スコアカードの知識 吉川 武男		
93	経営用語辞典	武藤 泰明	
94	技術マネジメント入門 三澤 一文		
95	メンタルヘルス入門	島 悟	
96	会社合併の進め方	玉井 裕子	
97	購買・調達の実際	上原 修	
98	中小企業のための 事業継承の進め方 松木 謙一郎		
99	提案営業の進め方	松丘 啓司	
100	EDIの知識	流通システム開発センター	

〈C〉 会計・税務

1	財務諸表の見方	日本経済新聞社	
2	初級簿記の知識	山浦・大倉	
4	会計学入門	桜井 久勝	
12	経営分析の知識	岩本 繁	
13	Q&A経営分析の実際 川口 勉		
18	月次決算の進め方	金児 昭	
21	資金繰りの手ほどき	細野 康弘	
23	原価計算の知識	加登・山本	
30	英文簿記の手ほどき	小島 義輝	
31	英文会計の実務	小島 義輝	
35	相続・贈与税の知識	佐々木 秀一	
37	入門・英文会計(上)	小島 義輝	
38	入門・英文会計(下)	小島 義輝	
40	キャッシュフロー計算書の見方・作り方 岩崎 彰		
41	管理会計入門	加登 豊	
42	税効果会計入門	岩崎 勇	
44	時価会計入門	岩崎・大村	
46	コストマネジメント入門 伊藤 嘉博		
47	連結納税の知識	玉澤・上原	
48	時価・減損会計の知識 中島 康晴		
49	Q&Aリースの会計・税務 井上 雅彦		
50	会社経理入門	佐藤 裕司	
51	企業結合会計の知識	関根 愛子	
52	退職給付会計の知識	泉本 小夜子	
53	会計用語辞典	片山・井上	
54	内部統制の知識	町田 祥弘	
55	予算管理の進め方	知野・日高	

〈D〉 法律・法務

3	管理職のための 人事・労務の法律 安西 愈		
4	人事の法律常識	安西 愈	
6	取締役の法律知識	中島 茂	
8	担保・保証の実務	岩城 謙二	
11	不動産の法律知識	鎌野 邦樹	
13	Q&Aリースの法律	伊藤・川畑	
14	独占禁止法入門	厚谷 襄児	
15	知的財産権の知識	寒河江 孝允	
17	PLの知識	三井・猪尾	
18	就業規則の知識	外井 浩志	
19	Q&A PLの実際	三井・相澤	
20	リスクマネジメントの法律知識 長谷川 俊明		
21	総務の法律知識	中島 茂	
22	環境法入門	畠山・大塚・北村	
24	株主総会の進め方	中島 茂	

日経文庫案内 (3)

- 25 Q&A「社員の問題行動」対応の法律知識　山田秀雄
- 26 個人情報保護法の知識　岡村久道
- 27 倒産法入門　田頭章一
- 28 銀行の法律知識　階・渡邉
- 29 債権回収の進め方　池辺吉博
- 30 金融商品取引法入門　黒沼悦郎
- 31 会社法の仕組み　近藤光男
- 32 信託法入門　道垣内弘人
- 33 労働契約法入門　山川隆一
- 34 労働契約の実務　浅井隆

〈E〉 流通・マーケティング

- 4 流通用語辞典　日本経済新聞社
- 5 物流の知識　宮下・中田
- 6 ロジスティクス入門　中田信哉
- 13 マーケティング戦略の実際　水口健次
- 15 顧客満足の実際　佐野良夫
- 16 ブランド戦略の実際　小川孔輔
- 17 マーケティング・リサーチ入門　近藤光雄
- 20 エリア・マーケティングの実際　米田清紀
- 22 店頭マーケティングの実際　大槻博
- 23 マーチャンダイジングの知識　田島義博
- 28 広告入門　梶山皓
- 29 広告の実際　志津野知文
- 30 広告用語辞典　日経広告研究所
- 32 マーケティングの知識　田村正紀
- 33 商品開発の実際　高谷和夫
- 34 セールス・プロモーションの実際　渡辺・守口
- 35 マーケティング活動の進め方　木村達也
- 36 売場づくりの知識　鈴木哲男
- 38 チェーンストアの知識　鈴木豊
- 39 コンビニエンスストアの知識　木下安司
- 40 CRMの実際　古林宏
- 41 マーケティング・リサーチの実際　近藤・小川
- 42 接客販売入門　北山節子
- 43 フランチャイズ・ビジネスの実際　内川昭比古
- 44 競合店対策の実際　鈴木哲男
- 45 インターネット・マーケティング入門　木村達也
- 46 マーケティング用語辞典　和田・日本マーケティング協会
- 47 ヒットを読む　品田英雄
- 48 小売店長の常識　木下・竹山
- 49 ロジスティクス用語辞典　日通総合研究所
- 50 サービス・マーケティング入門　山本昭二

〈F〉 経済学・経営学入門

- 3 ミクロ経済学入門　奥野正寛
- 4 マクロ経済学入門　中谷巌
- 7 財政学入門　入谷純
- 8 国際経済学入門　浦田秀次郎
- 9 金融　鈴木淑夫
- 10 マネーの経済学　日本経済新聞社
- 13 産業連関分析入門　宮沢健一
- 15 経済思想　八木紀一郎
- 16 コーポレート・ファイナンス入門　砂川伸幸
- 20 現代統計学(上)　國友直人
- 21 現代統計学(下)　國友直人
- 22 経営管理　野中郁次郎
- 23 経営戦略　奥村昭博
- 25 現代企業入門　土屋守章
- 28 労働経済学入門　大竹文雄
- 29 ベンチャー企業　松田修一
- 30 経営組織　金井壽宏
- 31 ゲーム理論入門　武藤滋夫
- 32 国際金融入門　小川英治
- 33 経営学入門(上)　榊原清則
- 34 経営学入門(下)　榊原清則
- 35 金融工学　木島正生
- 36 経営史　安部悦生
- 37 経済史入門　川勝平太
- 38 はじめての経済学(上)　伊藤元重
- 39 はじめての経済学(下)　伊藤元重
- 40 組織デザイン　沼上幹
- 51 マーケティング　恩蔵直人
- 52 リーダーシップ入門　金井壽宏
- 53 経済数学入門　佐々木宏夫
- 54 経済学用語辞典　佐和隆光
- 55 ポーターを読む　西谷洋介
- 56 コトラーを読む　酒井光雄
- 57 人口経済学　加藤久和

日経文庫案内 (4)

58 企業の経済学　　浅羽　茂	24 ビジネス数学入門　芳沢　光雄
	25 ネーミング発想法　横井　恵子
〈G〉 情報・コンピュータ	26 調査・リサーチ活動の進め方
4 POSシステムの知識　荒川　圭基	酒井　　隆
7 電子マネー入門　　岩村　　充	28 ロジカル・シンキング入門
10 英文電子メールの書き方	茂木　秀昭
ジェームス・ラロン	29 ファシリテーション入門
	堀　　公俊
〈H〉 実用外国語	30 システム・シンキング入門
1 ビジネスマンの基礎英語	西村　行功
尾崎　哲夫	31 メンタリング入門　渡辺・平田
2 経済英語入門　　石塚　雅彦	32 コーチング入門　　本間・松瀬
3 金融証券英語辞典　日本経済新聞社	33 キャリアデザイン入門[I]
5 ビジネス法律英語辞典 阿部・長谷川	大久保　幸夫
16 スピーチ英語の手ほどき	34 キャリアデザイン入門[II]
亀田　尚己	大久保　幸夫
17 はじめてのビジネス英会話	35 セルフ・コーチング入門
セイン／森田	本間・松瀬
18 プレゼンテーションの英語表現	36 五感で磨くコミュニケーション
セイン／スプーン	平本　相武
19 ミーティングの英語表現	37 EQ入門　　　　　髙山　　直
セイン／スプーン	38 時間管理術　　　　佐藤　知一
20 英文契約書の書き方　山本　孝夫	39 情報探索術　　　　関口　和一
21 英文契約書の読み方　山本　孝夫	40 ファイリング＆整理術
22 ネゴシエーションの英語表現	矢次　信一郎
セイン／スプーン	41 ストレスマネジメント入門
	島・佐藤
〈I〉 ビジネス・ノウハウ	42 グループ・コーチング入門
1 企画の立て方　　星野　　匡	本間　正人
3 報告書の書き方　安田　賀計	43 プレゼンに勝つ図解の技術
5 ビジネス文書の書き方	飯田　英明
安田　賀計	
6 プレゼンテーションの進め方	**ベーシック版**
山口　弘明	マーケティング入門　相原　　修
8 ビジネスマナー入門　梅島・土舘	金融入門　　　　　日本経済新聞社
9 発想法入門　　　　星野　　匡	財務諸表入門　　　　佐々木　秀一
10 交渉力入門　　　　佐久間　賢	簿記入門　　　　　　桜井　憲一
12 ディベート入門　　北岡　俊明	手形入門　　　　　　秦　　光昭
14 意思決定入門　　　中島　一	不動産入門　　　　日本不動産研究所
16 ビジネスパーソンのための書き方入門　野村　正樹	会社入門　　　　　日本経済新聞社
18 ビジネスパーソンのための話し方入門　野村　正樹	外国為替入門　　　日本経済新聞社
19 モチベーション入門　田尾　雅夫	日本経済入門　　　　岡部　直明
21 レポート・小論文の書き方	世界経済入門　　　日本経済新聞社
江川　　純	生産入門　　　　　　谷津　　進
22 問題解決手法の知識　高橋　　誠	貿易入門　　　　　　久保　広正
23 アンケート調査の進め方	経営入門　　　　　　高村　寿一
酒井　　隆	会社法入門　　　　　宍戸　善一
	アメリカ経済　　　みずほ総合研究所
	環境問題入門　　　　小林・青木

日経文庫案内 (5)

医療問題	池上直己	10 小売り　朝永久見雄
IT経済入門	篠﨑彰彦	11 商社　吉田憲一郎
金融マーケット入門	倉都康行	12 銀行　野﨑浩成
流通のしくみ	井本省吾	13 生保・損保　岡本光正
株式投資	日本経済新聞社	14 建設　髙木敦
		15 電力・ガス　圓尾雅則

ビジュアル版

経営分析の基本	佐藤裕一
マーケティングの基本	野口智雄
証券の基本	熊谷巧
経営の基本	武藤泰明
流通の基本	小林隆一
経理の基本	片平公男
貿易・為替の基本	山田晃久
日本経済の基本	小峰隆夫
金融の基本	高月昭年
世界経済の基本	貞広彰
マネジメントの基本	高梨智弘
品質管理の基本	内田宮治
保険の基本	森康一
広告の基本	清水公一
IT活用の基本	内山力
マネジャーが知っておきたい 経営の常識	内山力
株式会社の基本	柴田和史
ナレッジマネジメント入門	紺野登
マーケティングの先端知識	野口智雄
キャッシュフロー経営の基本	前川・野寺
企業価値評価の基本	渡辺茂
M&Aの基本	前川・野寺・松下
ニューテクノロジーの基本	野口・三菱総合研究所

〈N〉 業界研究シリーズ

1	自動車	中西孝樹
2	電機	片山栄一作
3	通信	増野大作
4	ITサービス	佐藤博子
5	鉄鋼	山口敦
6	化学	金井孝男
7	医薬品	漆原良一
8	食品・飲料	佐治広
9	繊維	村松高明

砂川 伸幸（いさがわ・のぶゆき）
1966年　兵庫県生まれ
1989年　神戸大学経営学部卒業，新日本証券入社
1995年　神戸大学大学院経営学研究科博士課程前期課程修了
　　　　神戸大学経営学部助手，ワシントン大学ビジネススクール
　　　　客員研究員などを経て
現　在　神戸大学大学院経営学研究科教授
　　　　経営学博士
著　書　『財務政策と企業価値』（有斐閣，2000年）
　　　　『日本企業のコーポレートファイナンス』（共著，日本経済新聞出版社，2008年）

日経文庫1035

コーポレート・ファイナンス入門

2004年 9月15日　1版1刷
2008年 6月30日　　　9刷

著　者　砂川 伸幸
発行者　羽土　力
発行所　日本経済新聞出版社
　　　　http://www.nikkeibook.com/
　　　　東京都千代田区大手町1-9-5　郵便番号100-8066
　　　　電話（03）3270-0251

印刷 東光整版印刷・製本 大進堂
ⓒ Nobuyuki Isagawa 2004
ISBN 978-4-532-11035-2

本書の無断複写複製（コピー）は，特定の場合を除き，著作者・出版社の権利侵害になります。

Printed in Japan